A NOVA TERRA

A CHEGADA DOS PORTUGUESES AO BRASIL

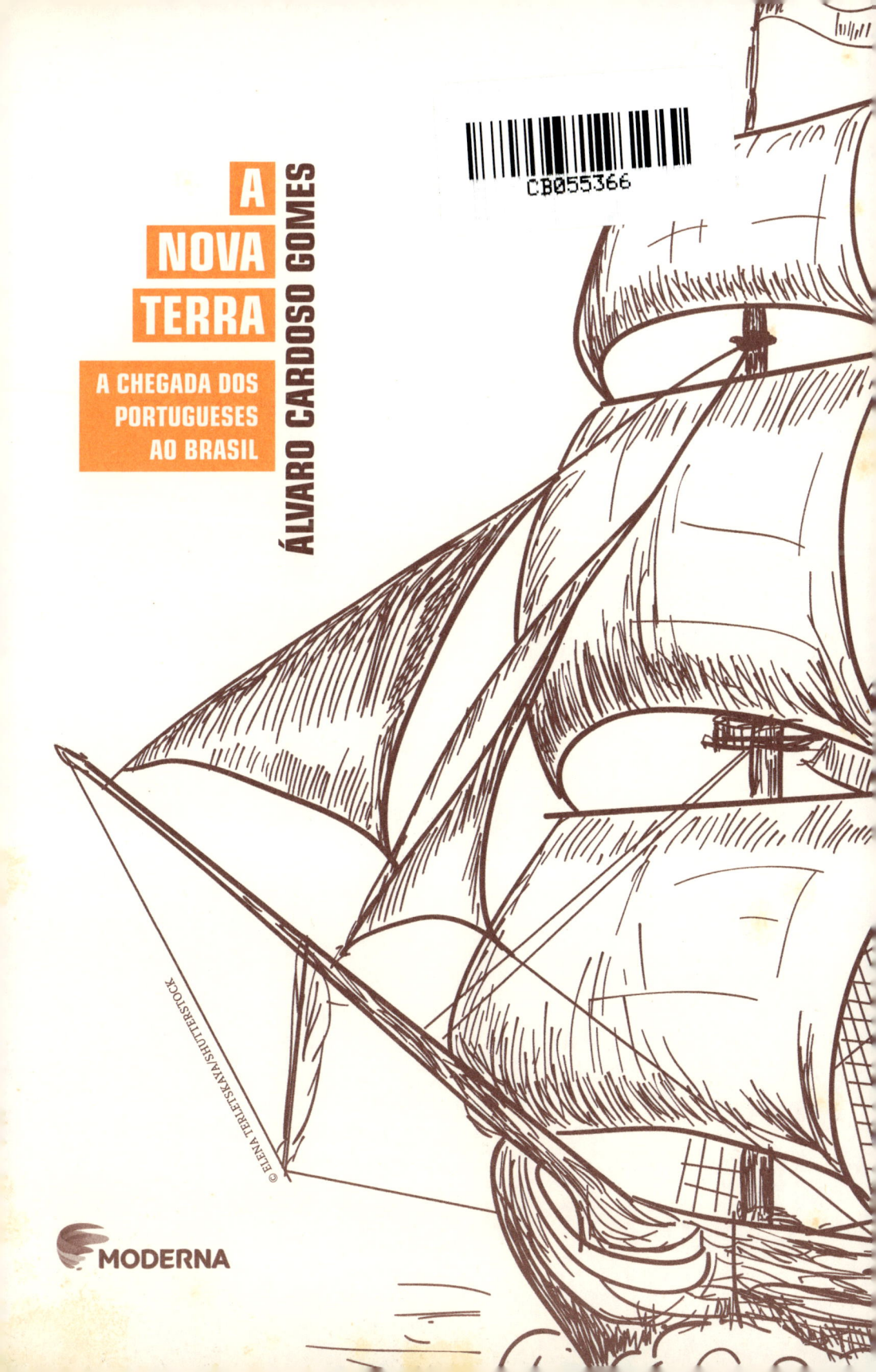

ÁLVARO CARDOSO GOMES

© ELENA TERLETSKAYA/SHUTTERSTOCK

MODERNA

© ÁLVARO CARDOSO GOMES, 2016

COORDENAÇÃO EDITORIAL Maristela Petrili de Almeida Leite
EDIÇÃO DE TEXTO Marília Mendes
COORDENAÇÃO DE EDIÇÃO DE ARTE Camila Fiorenza
DIAGRAMAÇÃO Michele Figueredo
ILUSTRAÇÃO DE CAPA Diego Sanches
COORDENAÇÃO DE REVISÃO Elaine Cristina del Nero
REVISÃO Maristela S. Carrasco
COORDENAÇÃO DE *BUREAU* Américo Jesus
PRÉ-IMPRESSÃO Vitória Sousa
COORDENAÇÃO DE PRODUÇÃO INDUSTRIAL Andrea Quintas dos Santos
IMPRESSÃO E ACABAMENTO BARTIRA
LOTE: 254686

Dados Internacionais de Catalogação na Publicação (CIP)
(Câmara Brasileira do Livro, SP, Brasil)

Gomes, Álvaro Cardoso.
   A Nova Terra : a chegada dos portugueses ao
Brasil / Álvaro Cardoso Gomes. – 1. ed. –
São Paulo : Moderna, 2016. – (Série recontando a história /
organizador Álvaro Cardoso Gomes)

ISBN 978-85-16-10273-9

1. Brasil - História - Descobrimento
2. Literatura infantojuvenil 3. Cabral, Pedro Álvares,
1467 ou 68 - 1520? I. Gomes, Álvaro Cardoso. I. Título. II. Série.

15-11460   CDD-028.5

Índices para catálogo sistemático:
1. Cabral : Descobrimento : Brasil : Literatura infantil 028.5
2. Cabral : Descobrimento : Brasil : Literatura infantojuvenil 028.5

EDITORA MODERNA LTDA.
Rua Padre Adelino, 758 - Belenzinho
São Paulo - SP - Brasil - CEP 03303-904
Vendas e atendimento: (11)2790-1300
www.modernaliteratura.com.br
2018
Impresso no Brasil

REPRODUÇÃO PROIBIDA.
ART. 184 DO CÓDIGO PENAL E LEI 9.610
DE 19 DE FEVEREIRO DE 1998.
TODOS OS DIREITOS RESERVADOS

Para Melissa,
Maya, Felipe, Beatriz,
Álvaro e Rafael

SUMÁRIO

Apresentação, **8**

1. No ano de 1500, **11**

2. Um rei e suas preocupações, **17**

3. Os dois capitães, **24**

4. Tristes lembranças, **30**

5. Uma descoberta inesperada, **33**

6. O tesouro de Shesh Nag, **42**

7. Grandes planos, **50**

8. O retorno de Lourenço, **54**

9. O Alistamento, **58**

10. As celebrações da partida, **61**

11. Um encontro desagradável, **65**

12. O embarque clandestino, **69**

13. Nos porões da nau, **72**

14. A partida da esquadra, **75**

15. Nas Ilhas Canárias, **78**

16. A caça aos ratos, **83**

17. Um encontro providencial, **89**
18. Uma ocupação para Manuel José, **95**
19. A Rota para o oeste, **100**
20. Sempre para o oeste, **103**
21. A Ilha de Vera Cruz, **109**
22. Nativos a Bordo, **112**
23. A Primeira Missa, **115**
24. Poty e Ibacoby, **119**
25. Um pedido especial, **125**
26. Vadiando, **129**
27. A Carta de Caminha, **135**
28. Em perigo, **142**
29. Rebates de consciência, **147**
30. Entre a cruz e a fogueira, **149**
31. A Partida, **154**

Cronologia, **156**

A CARAVELA

- Vela latina grande
- Mastro grande
- Cabos
- Castelo da proa
- Âncora
- Convés

- Vela latina da mezena
- Castelo da popa
- Camarote do capitão
- Leme
- Quilha
- Porão (interior do casco)

APRESENTAÇÃO

A ideia da série **Recontando a História** é oferecer romances históricos, gênero literário que tem como principal característica reconstruir o passado por meio de uma narrativa ficcional. Nesse tipo de romance, figuras e fatos reais convivem com personagens e eventos fictícios, construindo uma narrativa capaz de envolver e encantar a imaginação dos leitores.

O romance histórico, que tem origem remota, atingiu seu apogeu durante o Romantismo, no século XIX. Escritores como Walter Scott, na Escócia, Victor Hugo, na França, James Fenimore Cooper, nos Estados Unidos, e José de Alencar, no Brasil, notabilizaram-se pela prática do romance histórico. Contudo, não foi só no século XIX que esse tipo de obra frutificou. É possível lembrar aqui os casos de um escritor como Érico Veríssimo, com sua saga *O Tempo e o Vento*, e José Saramago, com *Memorial do Convento*, que também souberam fazer essa miscigenação entre o real e o fictício para reconstruir os eventos do passado.

A série **Recontando a História** pretende apresentar o passado de uma forma sedutora. Baseando-se em fatos históricos e apoiado em uma sólida bibliografia, cada romance reconstrói uma época com personagens de destacada relevância para a história humana, de maneira a excitar a imaginação dos leitores. Com isso, será uma excelente ferramenta interdisciplinar, ao ser utilizada por jovens leitores e educadores.

Este volume da série — *A Nova Terra* — tem como núcleo o projeto expansionista português, que se iniciou em fins do século XV, com a tomada de Ceuta, a descoberta do caminho para as Índias e culminando com a chegada ao Brasil, em 1500. Contracenando com personagens reais como D. Manuel, o rei de Portugal, Vasco da Gama, Pedro Álvares Cabral, Pero Vaz de Caminha, entre outros, aparecem personagens fictícios, como o pequeno Manuel José, o marinheiro Lourenço, o vilão Pedro Maciel e os indiozinhos Poty e Ibacoby.

Ao mesmo tempo, os fatos reais — o planejamento da viagem, a entrevista do Rei com seus Capitães, as rotas, a minuciosa reconstrução da chegada dos portugueses ao Brasil, a carta de Pero Vaz de Caminha — convivem com uma história fantasiosa sobre a busca de um lendário tesouro na Índia, cheia de intrigas, perseguições e mortes.

Álvaro Cardoso Gomes*
Coordenador da série Recontando a História

* Professor Titular da USP, Coordenador do Mestrado Interdisciplinar da Universidade de Santo Amaro, crítico literário e romancista. Autor de *A hora do amor*, *Para tão longo amor*, *O poeta que fingia*, *Memórias quase póstumas de Machado de Assis*, esses dois últimos contemplados com o prêmio Jabuti.

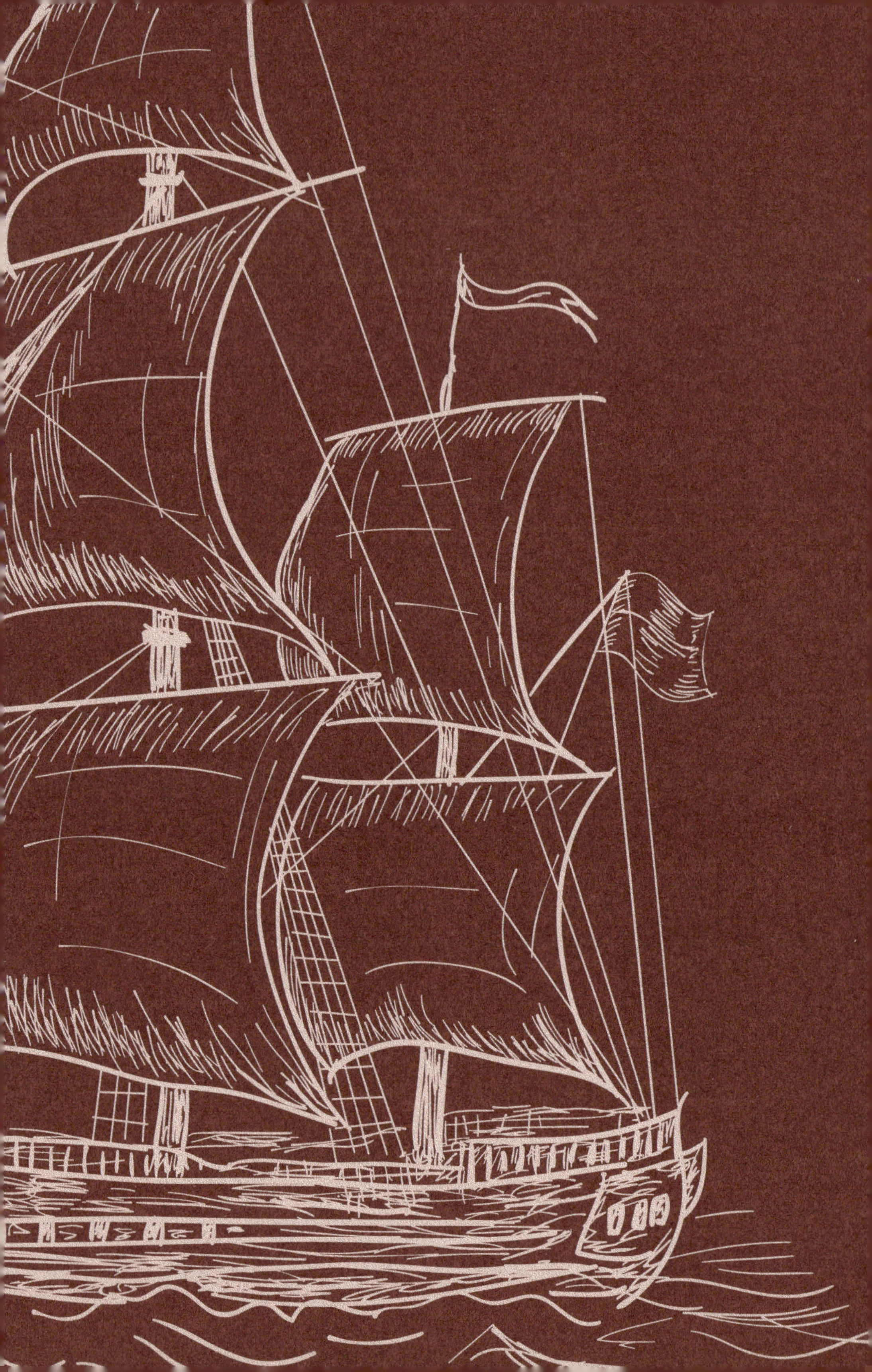

1. No ano de 1500

Era o ano de 1500, nos primeiros dias de março. Um forte vento levantava areia junto ao cais, na praia do Restelo[1].

Enfiado em meio a uma pilha de sacos, estava um garoto de aproximadamente 13 anos. Manuel José era miúdo e franzino. Vestido de trapos e descalço, tiritava. Procurava proteger-se da ventania, encolhendo-se todo.

[1] Praia que fica no Bairro de Belém, em Lisboa. Era de lá que costumavam partir as naus para as conquistas.

[2] De início, as caravelas (diminutivo de "cáravo", do grego *karobos*, que significa "lagosta") eram pequenos barcos usados na navegação fluvial ou na costa marítima. Depois, aperfeiçoadas, ganharam um casco arredondado e, além das velas latinas (triangulares), velas redondas (panos quadrangulares que inchavam com os ventos, tomando uma forma arredondada). Esses navios chegavam a ter 30 metros de comprimento. Superiores em tamanho e tonelagem às caravelas, posteriormente apareceram as naus (do latim *nave*), que foram largamente utilizadas nas navegações, inclusive na chegada ao Brasil. Tinham castelos de proa e de popa, de dois a quatro mastros, velas latinas no mastro da ré e, em geral, duas cobertas. Para defender-se contra os piratas, podiam ser armadas com até 100 ou 120 canhões.

[3] Rio mais famoso de Portugal. Nascendo na Espanha, vem desaguar no Atlântico, depois de cruzar a cidade de Lisboa.

Mas bastava uma caravela[2] cortar as águas do Tejo[3] para que o garoto se esquecesse do frio e levantasse o corpo.

— Será que está a chegar das Índias? — perguntava a si mesmo, com ansiedade.

Só de enunciar a palavra "Índias", Manuel José esquecia a fome, o frio e punha-se a sonhar com aquele país fabuloso, de grandes riquezas, de que tanto se falava e que tanto alimentava sua imaginação. Ainda mais porque tinha ouvido rumores de que nos estaleiros de Ribeira das Naus, rio acima, os operários, cheios de pressa, aparelhavam naus e caravelas.

— E se estivessem a preparar uma nova expedição para as Índias? — perguntava-se o garoto, excitado. Contudo, esse sentimento de euforia de Manuel José, nascido dos sonhos com as viagens, com os países fabulosos do Oriente, foi substituído por outro bastante diferente que encheu seu coração de tristeza. É que se lembrou da chegada do pai no ano anterior. Como muitos marinheiros, ele tinha voltado das Índias, pálido, o rosto descarnado, os cabelos brancos, os olhos fundos.

— Papai! — gritou o garoto, correndo a seu encontro.

O pai deixou cair a saca, abraçou-o com força e começou a soluçar. Manuel José afastou-se um pouco para fitá-lo. Não, aquele não era seu pai! A imagem que tinha guardado dele era bem diferente. Era a do jovem marinheiro de quem, três anos antes, havia se despedido no Restelo e que havia embarcado na São Gabriel[4], prometendo voltar cheio de riquezas. O homem que o abraçava vinha envelhecido e cheio de tristeza, trazendo no rosto as marcas das febres e do escorbuto[5].

Manuel José estava imerso nesses pensamentos, quando levou um tapa na nuca. Com o golpe, rolou pela sacaria e veio cair de cara no chão. O garoto levantou-se assustado. Deparou então com um homem que o ameaçava com um porrete:

— Seu velhaco! O que te disse se te pegasse outra vez a vadiar por aqui?! Vais tomar uma lição.

Num gesto rápido, o garoto pegou um punhado de areia e lançou na cara do homem. Num primeiro momento, o feitor do cais ficou desorientado. Mas recuperou-se e, cheio de fúria, avançou disposto a castigar o garoto. Manuel José correu dali. Como era pequeno e rápido, não lhe foi difícil escapar. Esgueirando-se por entre os sacos, pulando caixas, desapareceu em meio aos marinheiros, malandros, mascates e vendedores de peixes do cais.

Manuel José sabia muito bem o destino dos vadios que pediam esmola no cais ou roubavam a bolsa dos transeuntes distraídos. Com as

---

[4] Nau com que Vasco da Gama (1460-1524), o mais importante dos navegadores portugueses, contornou a costa da África e chegou às Índias (1497-1498), dando assim início ao ciclo das Grandes Navegações.

[5] Doença causada pela falta de vitamina C e que resultara no apodrecimento das gengivas e queda dos dentes. Essa moléstia só foi dominada quando se descobriu que à dieta de carne conservada no sal e bolachas, consumida a bordo dos navios, devia ser acrescida de limões e laranjas.

descobertas no além-mar, havia muitos desocupados em Lisboa. Era gente que não conseguia embarcar. Alguns faziam pequenos biscates para sobreviver e outros se entregavam à vadiagem. Estes, se apanhados, eram entregues à guarda e recolhidos a uma masmorra. Ou então desterrados para as Índias, onde o destino não seria muito melhor, pois, na certa, sucumbiriam de febre ou sofreriam maus-tratos na viagem.

Cansado da correria, o garoto sentou-se num caixote e ficou algum tempo refletindo sobre o que fazer. Pensou se valeria a pena ir ver a "Santa Isabel" aportar. Nada mais o encantava do que ver a chegada de uma caravela e o trabalho dos marinheiros descarregando caixas, tonéis de conservas e sacas cheirando a especiarias[6].

Toda essa agitação servia para lhe atiçar a imaginação e distraí-lo de sua vida. Nesses instantes, costumava apertar um saquinho de couro que trazia dependurado no pescoço. Era uma relíquia que o pai lhe havia confiado antes de morrer. O saquinho trazia a metade de um mapa do qual falaremos mais adiante.

O garoto, que se levantava para ir até onde estava a caravela, voltou atrás em sua ideia. É que viu ao longe a figura do feitor do cais, balançando o porrete na mão. Manuel José tornou a sentar-se no caixote e nesse instante seu estômago roncou. Era

---

[6] **Como eram conhecidos o cravo, a canela, a pimenta, usados na condimentação e, sobretudo, na conservação dos alimentos. Raríssimas ou inexistentes na Europa, essas especiarias, oriundas do Oriente, valiam, no tempo das conquistas, o seu peso em ouro.**

sinal de que precisava comer. Pela manhã, havia engolido apenas um pedaço de pão envelhecido.

Para enganar a fome, foi dar uma espiada numa construção, a alguns metros do Restelo, cujos alicerces já eram bem visíveis. Operários escavavam a terra numa grande dimensão de terreno, carroceiros descarregavam blocos enormes de pedra branca que eram cortados e polidos, marceneiros serravam pranchas para os andaimes.

Manuel José e os curiosos, que como ele vadiavam pelos arredores, chegaram a acreditar que ali se ergueria mais uma fortaleza, como a de São Jorge sobre a Alfama[7]. Mas o garoto logo veio a saber que naquele local ia ser construído o Mosteiro dos Jerônimos[8]. Era uma homenagem de El-Rei à grande descoberta do caminho até as Índias, feita por Vasco da Gama.

Mas o sol já ia alto e a fome apertava. Se pedisse com jeito, podia conseguir um naco de broa com os operários. Contudo, sentia mesmo era vontade de comer um peixe frito como só a tia Nazaré sabia preparar.

E com a fome apertando cada vez, Manuel José saltou uma vala, saltou outra e tomou a direção do cais. Não, a tia Nazaré não lhe negaria a posta de peixe. Era das poucas vendedoras do cais que ainda pareciam gostar dele.

---

[7] Bairro de origem árabe, na cidade de Lisboa, que constitui uma de suas mais belas atrações turísticas, graças às ruas estreitas, às casas antigas, e aos restaurantes típicos. É nesse bairro que se ergue o Castelo de São Jorge, uma fortaleza originalmente levantada pelos visigodos no século V, reformada pelos árabes no século XI e depois transformada em Casa Real ou Paço Real.

[8] Esse mosteiro, cuja construção foi terminada aproximadamente em 1515, teve seus alicerces escavados por volta de 1497. Belíssimo edifício todo em pedra branca, hoje é um museu, onde repousam os restos mortais de muitos reis de Portugal e de grandes figuras, como Vasco da Gama, Camões, Fernando Pessoa etc.

Com isso em mente, Manuel chegou ao cais, onde o movimento era intenso. A "Santa Isabel", ao contrário do que o garoto havia pensado, não tinha vindo das Índias, mas de Cabo Verde[9]. O caminho para as Índias, aberto por Vasco da Gama, esperava para ser percorrido outra vez, só que por uma armada de maior expressão.

[9] **Ilhas na costa da África, colonizadas por Portugal.**

2. Um rei e suas preocupações

Vamos deixar nosso amigo Manuel José com suas preocupações alimentícias para recuar um pouquinho no tempo. Mais ou menos uns cinco meses, em outubro de 1499, quase um mês depois de Vasco da Gama chegar das Índias.

Ao voltar com duas caravelas carregadas de mercadorias, o navegador trazia fantásticas notícias de um grande império. Segundo Vasco da Gama, nesse Império magnífico, os nobres vestiam as mais finas sedas, adornavam-se de ouro e pedrarias e dominavam os mercados das especiarias.

Por essa razão, quem tinha nessa época uma grande preocupação, mas não apenas alimentar como a de Manuel José, era o rei de Portugal, também chamado Manuel[10]. Em seu escritório no Paço Real, localizado no Castelo de São Jorge, ele

[10] D. Manuel I, o "Venturoso" (1469-1521), era filho de D. Fernando. Obteve esse apelido graças aos esforços que empreendeu para tornar Portugal o país mais importante do mundo, nos finais do século XV e início do XVI. Em seu reinado (1495-1521), Vasco da Gama descobriu o caminho para as Índias, e Cabral chegou ao Brasil.

caminhava cheio de excitação de um lado para o outro. De vez em quando, lançava os olhos para o rio ao longe. Este seu comportamento se explicava por duas novas que havia recebido com a volta de Vasco da Gama, uma excelente, outra, péssima.

A excelente: Vasco da Gama havia descoberto que era mesmo possível alcançar as Índias, reino tido como poderoso e rico, contornando as costas da África, depois de vencer o então temido Cabo das Tormentas. A péssima: Vasco da Gama havia sido muito mal recebido pelo Samorim[11], em Calicute[12], devido à impressão negativa causada pela pequenez e pobreza de suas naus.

Também, o comandante português tinha partido para as Índias com apenas quatro navios e cento e setenta homens... — pensou D. Manuel com um pouco de amargura. Por isso mesmo, o Samorim havia se recusado a comerciar com ele.

D. Manuel irritava-se pelo fato de, na época da viagem de Vasco da Gama, haver cedido à opinião de alguns de seus conselheiros e ter sido um tanto negligente. Por que não havia mandado uma frota mais bem equipada, com um número maior de navios, para demonstrar a força, o poder e a riqueza dos portugueses?

Mas dos males o menor — pensou El-Rei. Afinal, o capitão-mor havia chegado até as Índias, sem contar que, para o futuro, as coisas podiam correr melhor. O ânimo levantado com este pensamento,

---

[11] **Título honorífico na Índia.**

[12] **Cidade na parte ocidental da Índia, onde chegou a esquadra de Vasco da Gama.**

D. Manuel, ao mesmo tempo que fazia soar uma sineta, gritou exaltado:

— Aqueles infiéis[13] tomarão uma lição!

Pouco depois, entrou no aposento, de modo todo atabalhoado, um homem que trazia uma espécie de mesa portátil, em que havia um tinteiro, uma pena e folhas de papel. Depois de se inclinar diante de El-Rei, perguntou cheio de respeito:

— Pronto, aqui estou. O que Vossa Majestade deseja?

— Não te demores, homem, ou pensas que tenho todo o dia para conversas?

Vendo a irritação de El-Rei, o homem, que se chamava Gaspar da Costa, esqueceu a cerimônia e tratou de se apressar. Mas, antes que desse início aos trabalhos, deixou cair a mesa, entornou o tinteiro e sujou-se todo de tinta. D. Manuel, ao reparar na estripulia de seu secretário, deu uma gargalhada e disse com bons modos:

— Anda, vai lá dentro e limpa-te. Um pé lá, outro cá, que preciso logo de ti.

D. Manuel sentou-se e voltou a pensar no problema que tinha diante de si. Vasco da Gama havia descoberto o caminho para as Índias, mas o Samorim se recusava a comerciar com Portugal, pensando que os portugueses fossem pobres miseráveis... D. Manuel sorriu. A única coisa a fazer seria enviar outra frota poderosa e impressioná-lo não só com a pompa das naus, mas, sobretudo, com o poder dos canhões.

[13] **Como eram conhecidos, na época, os povos que não professavam o Cristianismo.**

D. Gaspar voltou, e D. Manuel disse:

— Então, onde paramos na carta que escrevia a meu sogro[14]?

— Bem, vejamos... — respondeu o secretário, encavalando sobre o nariz as pesadas lentes oculares e consultando os papéis. — Paramos no ponto em que Vossa Majestade me ditava: "acharam grandes cidades de grandes edifícios, ricas e de grande povoação e trouxeram canela...".

— Um instante — interrompeu-o El-Rei, levantando-se e voltando a andar. Depois de se deter um instante à janela, apreciando a vista, voltou-se e disse: — Acrescenta aí "nas quais se faz todo"...

— Perdão, Majestade, depois de "trouxeram canela"...?

— Pedaço de asno! Então, já não sabes mais o português? — bradou El-Rei, afetando indignação. — "Trouxeram canela nas quais"? Dá sentido isto?!

— Perdão, Majestade, mas pensei que...

— Não estás aqui para pensar, mas apenas para escreveres o que te dito. Para pensar basto eu, que sou o rei.

D. Manuel, na realidade, não estava irritado. A reprimenda que dava em Gaspar da Costa era mais uma brincadeira que costumava fazer com ele. Sabia das grandes qualidades de seu secretário. Honesto, cuidadoso, dominava como ninguém o latim e o português, além de ter bela caligrafia. Era

---

[14] D. Manuel era genro dos "reis católicos" da Espanha, Fernando e Isabel. Com seu casamento político, não só fortaleceu os laços com o país rival, como também evitou que Portugal fosse anexado à Espanha.

só atrapalhado, e essa atrapalhação mais divertia El-Rei do que o irritava.

— Já te disse: não te demores. Anda, vai, acrescenta o que falei.

Sem demora, Gaspar da Costa pôs-se a escrever com a letra de que tanto se orgulhava o que o rei lhe ditou: "nas quais se faz todo o trato de especiaria e pedraria". E assim consumiram uma boa parte da manhã. D. Manuel procurou tornar seu discurso o mais persuasivo possível, trocando palavras, melhorando as frases.

Deixemos Gaspar da Costa redigindo a carta e tentemos adivinhar por que El-Rei se esmerava tanto em procurar a frase justa para seu documento. Essa preocupação de D. Manuel com a carta tinha seus motivos. Os reis de Castela, Fernando e Isabel, eram seus sogros, mas não deixavam de ser seus rivais. Eles continuavam com aquele desejo secreto de reanexar Portugal[15], ainda mais depois da descoberta de Cristóvão Colombo[16]. Devido a isso, procuravam mostrar de todas as maneiras que a Espanha era a rainha dos mares, e eles, os senhores do mundo...

D. Manuel deu um sorriso e murmurou, para espanto de Gaspar da Costa:

— Aquele tolo...

— Como, Senhor?

D. Manuel fitou seu secretário como se ele fosse um desconhecido, mas caiu em si e disse, abanando a mão:

---

[15] **Durante muito tempo, Portugal fez parte do reino de Castela e era conhecido como o "Condado Portucalense". Em 1094, foi doado a D. Henrique, que se casou com D. Teresa, filha de D. Afonso VI. Mas Portugal só conquistou sua autonomia de fato em 1385, na batalha de Aljubarrota, sob o comando do condestável Nuno Álvares Pereira, que colocou no poder D. João I. Nos anos que se seguiram, os portugueses procuraram evitar de todas as maneiras as manobras dos castelhanos para anexar o país. A paz definitiva com os espanhóis só veio em 1411, com o Tratado de Ayllón.**

[16] **Era um genovês (1451-1506) que, baseado em antigos mapas e relatos de navegantes, acreditava que podia alcançar a Ásia seguindo sempre para o oeste. Com essa crença, ofereceu seus serviços a D. João II (1455-1495), filho de D. Afonso e D. Isabel, que os rejeitou porque tinha certeza de achar um caminho bem mais próximo, contornando a África. Não desistindo de seus intentos, Colombo ofereceu seu plano a D. Fernando e D. Isabel. Conseguindo suporte financeiro, partiu com uma pequena frota de três navios, "Santa Maria", "Pinta" e "Nina", e, em 1492, chegou às Bahamas, ilhas da costa da América, que confundiu com as Índias.**

— Nada, não. Não era contigo que falava.

Voltou a mergulhar em seus pensamentos, ante o olhar paciente de seu secretário. Como Gaspar da Costa conhecia de sobra o temperamento do soberano, sabia que o melhor a fazer era esperar em silêncio. O "tolo" a quem se referira D. Manuel era na realidade Cristóvão Colombo. A certeza da tolice do navegante genovês veio mesmo a se confirmar com o retorno triunfal de Vasco da Gama das Índias.

E era isso que queria mostrar a seus arrogantes sogros. Quem reinava nos mares era Portugal, era ele, D. Manuel! E El-Rei sorria interiormente, pensando no magnífico título que agora outorgaria a si próprio: "Senhor da Conquista, da Navegação e do Comércio da Etiópia, Arábia, Pérsia e Índia". E, ao não conseguir manter a impaciência, enviava aquela carta, onde procurara registrar tudo o que Vasco da Gama lhe tinha contado. Mas, por sua própria conta, exagerava um pouquinho, a fim de impressionar os sogros e deixá-los cheios de inveja.

Mas essa preocupação de D. Manuel não se limitava a querer impressionar o Samorim e causar inveja nos reis de Castela. Ele sabia que Portugal precisava urgente de dinheiro para poder atender às sempre crescentes despesas com as navegações. Não era fácil manter um Império, que devia expandir-se ainda mais, segundo seu desejo.

Depois que os turcos haviam tomado Constantinopla[17], as coisas haviam se complicado muito.

[17] **Caiu sob o domínio dos turcos em 1453.**

Nem por terra nem por mar, os mercadores cristãos conseguiam passagem para as rotas que levavam à Índia e à China. Daí que Vasco da Gama havia sido enviado para encontrar uma rota alternativa para se atingir os mercados do Oriente. E, agora, sempre tendo em mente aumentar ainda mais as receitas, ele vinha pensando em conquistar outras terras.

— Portugal mais parece um saco sem fundo... — murmurou para si mesmo. — Quanto mais dinheiro entra, mais aumentam as despesas...[18]

Depois de pensar nisso tudo, voltou a ditar. Ao dar por terminada a tarefa, dispensou Gaspar da Costa.

[18] **Para promover as grandes conquistas, o reino de Portugal teve que se endividar com banqueiros europeus, a ponto de, apenas 80 anos depois da chegada ao Brasil, o país viver uma grande crise.**

3. Os dois capitães

[19] Nasceu em Belmonte, norte de Portugal, em 1467 (ou 1468). De família importante, casou-se com D. Isabel de Castro, neta dos reis de Portugal. Embora os documentos históricos não registrassem que houvesse navegado, devido a sua linhagem e a seu casamento nobre, foi nomeado capitão-mor da esquadra que acabou chegando ao Brasil. Muitos anos mais tarde, em 1520, caindo em desgraça junto ao rei D. Manuel, Cabral morreu sozinho e longe da corte.

[20] A calmaria resultava da ausência ou quase ausência de ventos para impulsionar as naus e as caravelas. Nos casos mais dramáticos, uma embarcação podia ficar dias e dias parada sob um clima tórrido, com a tripulação padecendo de sede, sem muitas perspectivas de seguir viagem. As Canárias constituem um arquipélago no noroeste da costa da África, colonizado e tomado possessão do então reino de Castela em 1493.

Na sala de espera do escritório real, dois homens conversavam. Um deles, Pedro Álvares Cabral[19], era magro, alto, estava algo tenso, enquanto ouvia Vasco da Gama falar. O conquistador das Índias, um homem um pouco mais encorpado, contava algumas das dificuldades que havia enfrentado em sua viagem: as calmarias perto das Canárias[20], as tempestades no Cabo das Tormentas, as intrigas, ciladas e traições dos muçulmanos.

O assunto, em outras circunstâncias, podia interessar, e muito, a Pedro Álvares Cabral. Contudo, no momento atual, ele não prestava muita atenção na fala de Vasco da Gama. Isso porque tinha o pensamento voltado para outra coisa. Afinal, o que El-Rei desejava dele, a ponto de convocá-lo assim com tanta urgência? O que Vasco da Gama estava fazendo ali, para participar da mesma audiência?

Foi com isso na cabeça que Pedro Álvares Cabral ingressou no escritório de D. Manuel. E logo veio a saber das intenções de El-Rei.

Pedro Álvares Cabral, naquela manhã ensolarada, teve, então, notícia de um ambicioso plano. Para sua grande felicidade, faria parte dele. O plano consistia em realizar nova viagem às Índias, para referendar o que Vasco da Gama tinha dado início em 1497.

— ... creio — continuou a falar D. Manuel, depois das explicações iniciais — que devemos impressionar o Samorim não só com o poder das armas, mas também com a demonstração de nossas riquezas e, acima de tudo, com o esplendor da nova frota.

— E quantas embarcações e homens pensais em enviar para as Índias? — perguntou Vasco da Gama.

— Pensava para cima de dez naus e caravelas e mais ou menos uns mil e quinhentos homens — respondeu El-Rei de um modo displicente, como se estivesse tratando de uma simples regata.

Vasco da Gama arregalou os olhos.

— Para cima de dez! Mas será possível isso?

— Como assim? — D. Manuel franziu o cenho.

O conquistador das Índias abriu um mapa e os regimentos das derrotas[21] sobre a mesa e disse:

[21] Documentos em que se registravam as rotas (ou "derrotas", como se costumava dizer na época) dos navios.

— Conforme descobri em minha viagem, só se pode navegar da África para as Índias durante as monções do verão. Como sabeis, Majestade, nessa estação, os ventos sopram do sul da Ásia em direção ao continente. Já, no inverno, na direção contrária, empurrando as naus para a costa da África, o que torna inviável qualquer projeto.

— Com isso, estais querendo dizer que temos pouco tempo pela frente...

— Exatamente, Majestade. Essas monções começarão mais ou menos daqui a quatro meses...

D. Manuel bateu o dedo sobre o mapa.

— Portanto, temos que partir antes do final de março. Tudo bem. É o que faremos.

Vasco da Gama enrugou a testa, num sinal de incredulidade, e perguntou:

— Perdoai-me a insistência, Majestade, mas será que haverá tempo para aprestar a esquadra?

— Mas claro que haverá! Em quatro meses, a esquadra estará no Restelo pronta para zarpar e tendo à frente este meu caro amigo — disse El-Rei, batendo com afeto no ombro de Cabral.

Ao ver confirmado seu nome como capitão-mor da nova frota, Pedro Álvares Cabral sorriu satisfeito. A honraria, além de sinal de prestígio, era também sinal de muita riqueza[22].

— Nesse meio tempo — D. Manuel dirigiu-se a Cabral —, ireis estudando os regimentos que Vasco

[22] **Segundo o cronista Gaspar Correia, em** *Lendas da Índia* **(1561), a remuneração de Cabral por sua viagem foi a seguinte: 10 mil cruzados (cada cruzado equivalia a 3,5 gramas de ouro), 30 toneladas de pimenta, a serem pagas no valor em Lisboa (sete vezes o valor que tinha nas Índias), além disso, podia trazer 10 caixas de quaisquer especiarias livres de impostos.**

da Gama redigiu, a fim de saberdes como evitar as correntes contrárias do Golfo da Guiné[23] e as tempestades no Cabo das Tormentas. E, falando em Golfo da Guiné, tenho outro assunto a tratar convosco e para o qual exijo mais sigilo ainda.

E como se temesse que alguém pudesse ouvi-lo, D. Manuel fez um gesto e pediu que ambos se aproximassem dele. E começou a falar baixinho, quase num sussurro:

— Como é do vosso conhecimento, quatro anos atrás, assinamos o Tratado de Tordesilhas[24] com a Espanha. De acordo com tal tratado, ficou estabelecido que teríamos direito às terras além de Cabo Verde. Meus geógrafos e astrônomos garantiram que há mais terras além das ilhas que o tolo do Colombo descobriu e pensou que fossem as Índias[25].

Voltou-se para Vasco da Gama e completou:

— Sem contar que, nesta última viagem, encontrastes indícios muito fortes de terra além de Cabo Verde, não é mesmo, Vasco?

— De fato — respondeu o capitão-mor, que pôs o dedo sobre o ponto mais afastado na rota que contornava a África. — Mais ou menos aqui, vimos aves que pareciam dirigir-se à costa.

— Pois bem, como disse, o que desejo de vós, Cabral, é que estudeis bem as cartas e sigais a mesma derrota de Vasco da Gama, mas deixando-vos levar um tanto mais para oeste. E se encontrardes

[23] **Na costa da África, onde os ventos costumavam soprar contra as naus. Ao tomarem ciência disso, os portugueses procuravam afastar-se ao máximo da costa, a fim de evitar as correntes contrárias. Foi esse desvio que fez com que encontrassem pelo caminho troncos de madeira e aves, como as gaivotas, sinais de que, além das ilhas de Cabo Verde, havia outras terras.**

[24] **Logo depois da façanha de Colombo, chegando à América, Portugal e Castela quase entraram em guerra pela disputa do Novo Mundo. Para evitar o conflito, o Papa interveio, e os dois países, sob o reinado de D. João II e Fernando e Isabel, assinaram um tratado na cidade de Tordesilhas, em 7 de junho de 1494, dividindo o mundo entre si. Os portugueses, de acordo com o tratado, ficariam com todas as terras a 370 léguas a oeste de Cabo Verde, o que incluía a posse do mar, tão necessária à navegação para o Oriente, bem como uma parte das terras internas e todo o litoral do Brasil.**

[25] **Durante muito tempo, os historiadores defenderam a teoria de que o Brasil foi encontrado por acaso. Mas, depois, teses mais consistentes provaram que os portugueses não só tinham fortes indícios da existência de terras além do Oceano Atlântico, como também premeditadamente enviaram Cabral com a missão de encontrá-las.**

terras, devereis tomar posse delas, em meu nome, em nome da Coroa de Portugal.

— Tomo posse delas e...

— ... e imediatamente seguis em rota batida na direção da Ásia, para cumprirdes a segunda e talvez mais importante parte do plano que tenho em mente: consolidar nossa posição nas Índias.

Pedro Álvares Cabral balançou a cabeça em concordância. Inclinou-se, persignou-se e disse com respeito:

— Que se cumpra vossa vontade, com o auxílio da Divina Providência.

D. Manuel deixou Vasco da Gama e Pedro Álvares Cabral discutindo os dados da futura viagem e foi até uma janela. Queria refletir sobre um problema que o atormentava muito. Era sobre a quantia que a Coroa teria que desembolsar para montar uma esquadra em tão pouco tempo.

Baseado nos relatórios de Vasco da Gama, D. Manuel tinha certeza de que a viagem prometia um excelente retorno econômico. Era com esse argumento que pretendia convencer seu conselheiro, D. Álvaro de Bragança[26], a conseguir empréstimos dos banqueiros Marchioni, Semige e Salvago[27]. Este último pensamento deixou-o um pouco mais tranquilo.

As reflexões de El-Rei foram interrompidas por um delicioso aroma que vinha do interior do

[26] D. Álvaro de Portugal, depois Álvaro de Bragança (1440-1504). D. Manuel o nomeou embaixador especial do Reino de Castela para negociar o casamento do rei com a princesa Isabel de Aragão (1470).

[27] Banqueiros italianos que ajudaram a financiar as grandes navegações.

palácio. Com certeza, refletiu D. Manuel, devia ser do prato especial que havia mandado pedir à cozinha naquele dia: frango ao caril[28].

Aquela manhã tinha sido mesmo trabalhosa! Não bastasse a entrevista com Gaspar da Costa, ainda havia tido a longa conversação com Vasco da Gama e Pedro Álvares Cabral. Agora, tocava almoçar porque ninguém era de ferro!

E, pensando assim, D. Manuel despediu os dois homens sem muita cerimônia:

— Bem, senhores, estamos acertados, não? A caminho, que, agora, vou-me deliciar com o frango preparado com o caril que o meu caro Vasco teve a gentileza de me trazer das Índias.

[28] O mesmo que *curry*, tempero indiano apimentado que se utiliza para condimentar frango, peixe, arroz.

4. Tristes lembranças

Retornemos agora a Manuel José. Neste momento, ele fugia de uma furiosa tia Nazaré. Aos gritos, a mulher o ameaçava com uma colher de pau:

— Então, pensas que estou aqui para sustentar vadios!

Como o leitor pode ver o garoto não conseguiu o alimento que queria. Nem sequer uma cabeça de peixe para saciar a fome. Seu estômago roncava, e ele sentia uma fraqueza muito grande. Ah, que saudades tinha do tempo em que vivia com a família. A essas horas estaria sentado à mesa com uma posta de peixe ou uma tigela de sopa e uma côdea de pão diante de si. A mãe ainda era viva, e o pai não havia enfiado na cabeça aquela ideia maluca de fazer fortuna nas Índias.

Quantas e quantas vezes, de seu quarto, não havia escutado discussões entre os pais:

— É tolice tua, Joaquim. Somos pobres, mas, com teu trabalho, ainda temos o pão sobre a mesa.

— E queres que comamos sempre o mesmo pão duro e seco, Maria! Se conseguir entrar para a esquadra de D. Vasco da Gama, voltarei rico das Índias.

Maria soluçava e dizia:

— E se ficares perdido nesse mar sem fim, homem de Deus? Não pensas em mim nem no pobre do teu filho!

— Maria! Não digas isso. É por muito pensar em ti e no pequeno que embarco. Se cá fico, esperando que o pão caia dos céus, aí é que estaremos mal.

Bem que o pai devia ter ouvido a mãe — pensou Manuel José. Com certeza, a essas horas ainda estariam juntos. Ao pensar nisso, o garoto começou a chorar pela fome que sentia e pela saudade dos pais. Estava só no mundo, não tinha quem velasse por ele.

Nisso, alguém gritou, cortando o fio de suas recordações:

— Ó pequeno! Que é que tu tens, para estares assim a chorar!

Manuel José limpou os olhos com as costas da mão e levantou o rosto. Quem lhe dirigia a palavra era um marinheiro que carregava um baú sobre o ombro e arrastava uma saca atrás de si.

— Que tal se deixasses de manha e me ajudasses?

O garoto levantou-se, e o marinheiro estendeu-lhe a saca.

— És capaz de carregar isto?

Manuel José fez que sim com a cabeça. Ergueu a saca com muito esforço e a pôs sobre o ombro.

— Conheces uma boa estalagem, de comida farta e barata? — perguntou o marinheiro.

O garoto pensou um instante.

— Há a do tio João, "A Petisqueira". Lá, dizem, se come a melhor caldeirada[29] de Lisboa.

— Pois vamos à caldeirada do tio João — disse o marinheiro.

Chegando à estalagem, sentaram-se à mesa e foram logo servidos com um caldo perfumado, onde boiavam postas de peixe, camarões, lagostins, patas de siri, e uma jarra de vinho verde. O marinheiro, que se chamava Lourenço, tomou um longo gole de vinho, limpou os lábios com as costas da mão e disse:

— Pois a caldeirada está a cheirar muito bem! Por São Tiago, vamos a ela!

Manuel José não esperou segunda ordem. Encheu o prato e começou a comer como se fosse sua última refeição aqui na Terra. Vendo o apetite do garoto, Lourenço tornou a encher-lhe o prato e disse com bondade:

— Come que te fartes, que a caldeirada está mesmo de apetite!

Tornaram a atacar a caldeirada até que só restassem espinhas, folhas de louro e cascas de lagostins nos pratos. Satisfeito, Lourenço bateu sobre a barriga e disse com um largo sorriso:

— Também somos filhos de Deus, não é mesmo?!

E, como se fossem velhos amigos, começou a contar de sua vida. Feliz por ter saciado a fome, Manuel José era todo ouvidos. A história de Lourenço parecia ser das mais interessantes, prometendo muitas aventuras.

[29] **Prato feito à base de peixes, moluscos e crustáceos.**

5. Uma descoberta inesperada

Lourenço disse que havia enfrentado mares bravios, tormentas, calmarias, visto companheiros consumidos pelas febres e pelo escorbuto. Havia chegado mesmo a sofrer um naufrágio no Golfo da Guiné. Numa tempestade, sua caravela deu com a quilha numa rocha e logo foi ao fundo. Com muito esforço, ele e mais alguns marinheiros haviam conseguido se salvar, a bordo de um barco e desembarcar.

Em terra firme, sofreram toda sorte de privações: a força do sol, a fome, a sede, a maldade dos nativos. Mas, com a graça de Nossa Senhora da Ajuda, concluiu Lourenço, haviam chegado à foz do rio Congo[30], onde foram resgatados.

— Se queres saber, não sei de ninguém que conheça tão bem a costa d'África como eu. Não há

[30] Também conhecido como rio Zaire, situando-se no país de mesmo nome.

cabo que não tenha contornado, enseada em que não tenha entrado ou rio que não tenha navegado!

A voz cheia de emoção, Manuel José perguntou:

— E as Índias? Estivestes mesmo por lá?

— As Índias? Claro que lá estive. A bordo da "São Gabriel", sob o comando do Senhor D. Vasco da Gama!

Excitado, o garoto exclamou:

— Pois meu pai também esteve nas Índias!

— Teu pai? E quem é teu pai?

— Joaquim José de Almeida. Por acaso, o conheceste?

Lourenço, ao ouvir aquele nome, avançou o corpo e perguntou:

— O Joaquim José de Almeida de Cascais[31]? Que atendia pela alcunha de o "Moiro"[32]?

— Sim. Este é meu pai.

— Um homem de pequena estatura, de tez escura, cabelos e olhos bem negros como os teus? — insistiu Lourenço.

— Ele mesmo!

— E não é que tu te pareces muito com ele... Agora que disseste que és filho do meu querido Joaquim José, reparo que puxaste a teu pai em tudo. Até no tamanho, que és bem miúdo.

— Então, o conhecestes de verdade? — perguntou Manuel José com certa incredulidade.

---

[31] Antiga praia de pescadores perto de Lisboa. Hoje, é uma estância turística.

[32] O mesmo que mouro. Durante muito tempo, Portugal foi dominado pelos mouros, povo do norte da África, que deixou fortes traços culturais e raciais na península ibérica. O pai de Manuel José, talvez por seu físico, seja de origem árabe, merecendo assim o apelido de "Moiro".

— Claro que o conheci. Éramos companheiros inseparáveis!

Lourenço perguntou com apreensão:

— Um instante. Dize-me: o que é dele?

Manuel José abaixou a cabeça e disse com a voz cheia de emoção:

— Meu pai? Ele... ele morreu...

— Morreu! Mas... mas como? Despedi-me dele ainda vivo aqui no Restelo, quando retornamos das Índias. É certo que, como eu, vinha cheio de febres. Mas tinha a certeza de que se recuperaria, pois conhecia de sobra sua força física.

— Pois ele morreu — disse Manuel José, já chorando. — Mas não de febres...

— Se as febres não o levaram, como morreu? — perguntou Lourenço, enrugando a testa de um modo como se já conhecesse a resposta.

— Mataram-no.

Lourenço afastou-se da mesa e encostou-se todo abatido na cadeira. E ficou nessa posição por algum tempo, com uma expressão de profunda tristeza no rosto. Por fim, abanou a cabeça e disse:

— Então o encontraram! Bem que lhe havia dito que o seguiriam até o fim do mundo...

Ele se aproximou mais de Manuel José e perguntou:

— Mas, conta, quem o matou? Por acaso, era um homem forte com uma venda preta num dos olhos?

— Esse mesmo! — exclamou o garoto.

— Pedro Maciel! Maldito seja ele!

Lourenço socou a mesa com raiva e continuou a falar:

— Anda, conta-me como foi que mataram teu pai.

E então o jovem contou que o pai havia chegado doente e chorado muito, ao saber que a esposa tinha morrido em sua ausência. Exausto da longa viagem, havia dormido sem parar por quase dois dias seguidos. E, depois, se recusou a contar o que quer que fosse de sua aventura nas Índias. O pai parecia nervoso, inquieto. E o que o deixou mais apreensivo ainda — continuou a contar — era que Joaquim José passou a assustar-se com qualquer batida na porta ou com sombras que aparecessem nas janelas.

Muitas vezes, à noite, acordava todo suado e gritando:

— "A maldição de Shesh Nag![33] A maldição de Shesh Nag!".

— E, por falar nisso, quem é ou o que é Shesh Nag? — perguntou Manuel José.

— Depois te digo — disse Lourenço com impaciência. — Continua a contar.

Até que um dia, quando o pai estava ausente, bateram à porta. Manuel José atendeu, e um homem que usava uma venda preta, acompanhado de dois marinheiros...

— Deviam ser o João Taipas e o Simão Bocanegra — interrompeu-o Lourenço.

Manuel José disse que o homem da venda preta perguntou se ali era a morada do Joaquim José, conhecido como o "Moiro". Como o garoto respondesse ingenuamente que sim, o homem deu um sorriso mau e disse:

[33] Uma das divindades indianas consagrada às serpentes.

— "Ó pequeno, és capaz de dar um recado a teu pai? Que Joaquim José é teu pai, não é mesmo? Pois bem, dize-lhe que, se entregar o que tanto quero, eu o deixarei em paz, do contrário, obterei pela força o que desejo. Está bem?"

O homem segurou a orelha de Manuel José e torceu-a com tanta força que fez que lágrimas lhe viessem aos olhos.

— ... e teu pai, com certeza, não entregou o que aquele malvado queria, não é? — perguntou Lourenço.

— Não, não entregou — disse Manuel José, instintivamente levando a mão ao pescoço, onde trazia o saquinho de couro.

— Antes tivesse entregado — disse Lourenço com veemência. — Hoje, ainda estaria entre os vivos, se bem que Pedro Maciel não seja um homem de palavra...

Ele ficou em silêncio por um bom tempo, para depois perguntar:

— Se não o entregou a Pedro Maciel, guardou-o em algum lugar secreto ou entregou-o a ti.

Manuel José hesitou um pouco, mas, contemplando o rosto franco de Lourenço, achou que devia confiar nele.

— Entregou-o a mim. Trago aqui comigo o que o homem da venda preta queria — disse, levando a mão ao pescoço.

— Então, quem agora corre perigo és tu, meu querido. Pedro Maciel fará de tudo para obter o que tens aí nesse saquitel ao pescoço e o que também tenho oculto cá comigo.

— Pois tens a outra metade do mapa?! — exclamou Manuel José.

— Depois falaremos disso. Vamos, adiante: continua a me contar como mataram a teu pai.

Manuel José voltou a falar. Quando ele deu o recado do homem da venda preta, o pai caiu sentado numa cadeira e disse como para si mesmo:

— "Então, eles acharam-me! Eu sabia que os braços de Shesh Nag haviam de me alcançar!"

Manuel José não entendeu o discurso do pai e pediu que ele fosse mais claro. Joaquim José se recusou a explicar e apenas argumentou que eram coisas muito perigosas que não lhe convinha saber. Depois disso, as visitas começaram a se tornar mais e mais constantes. De tempos em tempos, alguém vinha à porta e gritava:

— "Vamos, Joaquim, nada tens a temer. Queremos apenas conversar como nos velhos tempos."

Até que um dia, o pai deu a Manuel José algumas moedas, pôs-lhe o saquinho de couro ao pescoço e disse:

— "Guarda isto, que é muito precioso, e vai-te daqui."

Quando lhe perguntou o que continha o saquinho, o pai suspirou, para, em seguida, explicar:

— "É a metade de um mapa muito valioso. Um amigo meu tem a outra metade. Completo, traz a indicação de um tesoiro nas Índias."

— "Que tesoiro?"

— "O tesouro de Shesh Nag" — respondeu o pai.

Manuel José ainda insistiu para que Joaquim fosse mais claro, mas em vão. Ele apenas disse:

— "Não temos tempo para que te conte tudo em pormenores. O melhor que tens a fazer é te esconderes até que esta confusão acabe."

— "E quanto a ti, meu pai? Ficarás à mercê desses malvados? Não, não posso deixar-te sozinho."

— Não temas por mim, meu querido. Se não encontrarem a metade do mapa, não ousarão nada contra mim. Na verdade, sofrerei mais riscos, e tu também, enquanto estiver de posse disso. Vai, que ainda temos tempo."

Manuel José abraçou o pai, que disse sorrindo:

— "És a minha segurança. Vai para longe, para Cascais, onde poderás ficar em casa da tia Francisca."

— Se soubesse que seriam as últimas palavras que ouviria dele... — disse Manuel José com um soluço.

— E o que aconteceu depois? — perguntou Lourenço.

— Bem, depois... A verdade é que não obedeci a meu pai, isto é, não fui para a casa da tia Francisca. Alguma cousa me dizia que ele corria riscos e que não podia abandoná-lo. Fiquei andando sem rumo pela cidade. À noite, voltei para casa e, quando ia abrir a porta, ouvi vozes. Pulei a janela, entrei em meu quarto e ocultei-me sob o catre. De lá, podia ver o que se passava na sala. Vi, para meu pesar, que meu pai estava amarrado a uma cadeira e que o homem da venda preta o ameaçava com um punhal, enquanto dizia:

— "Por bem ou por mal, irás me dizer onde está o maldito mapa, Joaquim!"

Meu pai permanecia quieto, o que deixou o homem da venda preta ainda mais furioso. Vendo que não adiantavam as ameaças, ele voltou-se para seu companheiro, perguntando:

— "Tens certeza de que procuraste direito, ó Taipas?"

— "Claro que procurei. Revirei toda a maldita casa e nada encontrei."

Foi só aí que Manuel José reparou que seu quarto era uma confusão só. Sua arca estava aberta, as roupas espalhadas pelo chão, o colchão estripado à faca.

— "Então, com certeza estará com o pequeno. Foste muito esperto, Joaquim, mas uma cousa é certa: guardei as feições dele e irei até o fim do mundo em seu encalço e, quando o encontrar..."

— "Deixa meu filho em paz. Ele não tem o mapa consigo" — meu pai mentiu.

— "Se não deste a ele a guarda do mapa, a quem o deste? Ao Lourenço?"

Meu pai continuou calado. Isto fez com que o homem da venda preta ficasse mais furioso:

— "Vais ainda falar, nem que tenha de furar-te todo!"

Mesmo sob a ameaça do punhal, meu pai nada falou.

— Sei que teu pai nada falaria! Era homem de coragem! — disse Lourenço.

— Antes tivesse falado — gemeu Manuel José.

— Ainda que tivesse falado, não ficaria vivo. Como já te disse, Pedro Maciel não é homem de palavra. Quer teu pai revelasse a quem deixou o mapa, quer não, estaria morto assim mesmo.

— Pois foi o que lhe aconteceu...

Sempre soluçando, Manuel José contou como o homem da venda preta, furioso com a mudez de Joaquim José, matou-o a punhaladas.

— "Agora é que ele não confessará mais nada" — Bocanegra comentou, balançando a cabeça.

— "Não te preocupes" — disse Pedro Maciel, limpando a lâmina do punhal na toalha da mesa —, "na certa, o mapa estará com o garoto ou com o Lourenço. Basta encontrá-los e teremos em mãos o que queremos."

— "Mas onde acharemos o Lourenço?" — insistiu Bocanegra.

— "Pelo que sei, Lourenço foi a Cabo Verde, mas logo retorna. Quanto ao pequeno, deverá estar escondido na casa de algum parente em Cascais."

— Quando se foram — continuou Manuel José a falar —, esperei um pouco até que não pudesse mais ouvir os passos deles e corri até a sala. Mas, para minha tristeza, meu pai já não respirava. Ajoelhei-me e pus a cabeça em seu colo. Chorei até me arderem os olhos, sempre pensando que estava sozinho no mundo. Tinha meus parentes em Cascais, mas sabia que não podia nem devia procurá-los. Ao mesmo tempo que pensava nisso, maldizia a viagem de meu pai até as Índias, maldizia aquele tesouro que foi a causa de sua ruína.

— Tens razão — disse Lourenço pensativo. — Maldito tesoiro! Mas agora não adianta chorar sobre o leite derramado. Corremos ambos risco de morte e temos que tomar nossas providências.

Depois de refletir por algum tempo, Lourenço acabou por dizer:

— Sei que estão a aprestar uma nova frota para as Índias. O melhor que temos a fazer é embarcar. Chegando ao Oriente, podemos ir ao encalço do tesoiro.

— Mas esse tesoiro existe mesmo?

— E como existe! Nunca vi tanta riqueza em minha vida.

— E como o acharam?

— É uma longa história e creio que tens todo o direito de sabê-la...

6. O tesouro de Shesh Nag

Lourenço começou a contar a Manuel José sobre o fabuloso tesouro de Shesh Nag.

— Não vou relatar tudo o que passamos em nossa longa viagem até as Índias, as tormentas que enfrentamos, as febres. Como temos pouco tempo, vamos ao que interessa. Isto é, quando desembarcamos em Calicute e como chegamos ao tesoiro de Shesh Nag.

Lourenço contou como haviam ficado impressionados com os costumes na nova terra, com os nativos que professavam bárbaros ritos. Disse que eles cultuavam divindades das mais estranhas, desde os poderosos Brahma, Vishnu e Shiva até as divindades menores, como o demônio Indra[34], e Shesh Nag, a deusa das serpentes.

[34] De acordo com a mitologia hindu, Brahma é o deus mais poderoso, o criador. Vishnu, por sua vez, é o que ampara, enquanto Shiva é o que destrói. Indra, que possui quatro braços, é o mais poderoso dos demônios.

Depois, ele descreveu os animais exóticos, como os rinocerontes, os elefantes, os tigres.

— Pois os elefantes são mesmo maiores que uma casa? — interrompia-o Manuel espantadíssimo.

— Bem maiores e dão gritos assustadores. Se pegam um homem de jeito, esmagam-no sob as patas.

— E os tigres, como são?

— Belíssimos. Parecem-se a gatos, mas, ao contrário destes, são grandes, todo listrados de amarelo e negro e muito ferozes!

— E as serpentes? Pelo que ouvi dizer no cais, há umas gigantes com mais de quarenta côvados[35] de tamanho!

Lourenço deu uma gargalhada:

— Quem te contou isso? São grandes, mas não chegam jamais a ter esse tamanho.

— Pois foi o que me contaram — insistiu Manuel José com teimosia.

— Bah! — exclamou o marinheiro. — Muitos dos que viajaram para o Oriente são grandes mentirosos. Gostam de contar histórias fantásticas de pessoas com a cara no peito, de gigantes, de cavalos com corpo de homem... Pois eu, que muito viajei pelo mundo, jamais vi cousas tais.

Lourenço contou que, logo após a chegada a Calicute, a única coisa em que pensava, a exemplo

[35] **Antiga medida métrica equivalente a 45 cm.**

dos companheiros, era enriquecer o mais rápido possível. Tendo ouvido falar que em Hubli-Dharwad havia muitas riquezas, planejou, junto com Joaquim José e Duarte de Leiria, uma expedição até essas cidades no sudoeste da Índia.

— Naquele tempo — explicou Lourenço —, teu pai e eu já éramos muito amigos. Quanto a Duarte de Leiria, levei-o conosco porque ele conhecia muito bem a língua do lugar. Mas antes não nos houvesse acompanhado! Foi por culpa exclusiva dele que tudo de mal nos aconteceu...

Chegando a Hubli-Dharwad, visitaram o templo dedicado à Indra. E ficaram maravilhados com a riqueza das joias e das estátuas cobertas de ouro e pedrarias.

À saída, Duarte de Leiria entabulou conversação com um dervixe.

— Dervixe? — perguntou Manuel. — O que é um dervixe?

— Ah, esquecia-me de que não estiveste na Índia... Dervixe é uma espécie de homem santo muito pobre, um religioso como lá há muitos. Pois bem, ficamos sabendo por ele que, se tínhamos ficado impressionados com o templo consagrado a Indra, ficaríamos ainda mais impressionados com o templo de Shesh Nag, a deusa-serpente. Depois de muita insistência de nossa parte, o homem santo acabou indicando a direção do templo, apontando para longe, no meio das florestas. Mas, antes, fez um alerta, dizendo em voz grave:

— "Śē a nāga kē mandira apavitra jō nāstika hamēśā kē li'ē śāpita hō jā'ēgā".

— E o que isso quer dizer?

— "O infiel que profanar o templo de Shesh Nag será amaldiçoado para sempre." E quem diria que aquele miserável dervixe tinha toda razão!

— E acreditas de fato que a maldição de Shesh Nag aconteceu?

— Gostaria de não acreditar. Nós, que somos cristãos e tementes a Deus, não deveríamos crer em semelhantes crendices, mas, quando se vai às Índias e se veem tantas cousas de espantar, passa-se a acreditar em tudo. Mesmo em divindades infernais e em seus poderes maléficos.

— E como chegaram ao templo de Shesh Nag? — perguntou Manuel, cada vez mais excitado com a história que prometia mil e uma aventuras.

Lourenço narrou como haviam penetrado na selva, contando apenas com um mapa toscamente desenhado. Na floresta, não faltaram insetos que causaram dolorosas picadas, feras que os atacaram e só foram repelidas a tiros de bacamarte[36] e enormes serpentes enroscadas nos troncos das arvores. À noite, bandos de morcegos guincharam, cortando os ares e, a distância, ouviram-se pios de aves de mau agouro.

— Se queres saber, Manuel, eu que nunca temi a cousa alguma, passei aquela noite rezando para todos os santos. Quando chegou a manhã, pusemos o medo de lado e avançamos pela floresta que nos desafiava. Depois de atravessarmos pântanos, de bebermos água salobra e nos alimentarmos com raízes e frutos, avistamos numa clareira um grandioso edifício, de cor esverdeada, que parecia ter sido erguido há muitos e muitos séculos.

Era um templo muito estranho, formado de uma enorme quantidade de torres, corredores, balcões. Mais de perto, vimos que sua aparência esverdeada vinha do limo e das heras grudadas às paredes.

[36] Antiga arma de fogo de cano curto e boca larga.

Subimos as escadarias e deparamos com um portal altíssimo no qual vinha inscrita a seguinte frase, que, depois soubemos, era a mesma que o dervixe nos tinha dito:

शेष नाग के मंदिर अपवित्र जो नास्तिक हमेशा के लिए शापित हो जाएगा

Penetramos num salão cujo teto era todo decorado com estranhas figuras. Depois, chegamos num corredor e pareceu-me ouvir um coro que vinha de muito longe, como se saísse do fundo da terra.

Com efeito, à medida que caminhávamos, descíamos uma rampa cheia de curvas que ia se tornando cada vez mais escura. E, quanto maior era a escuridão, mais alto também se tornava o coro, e eu já podia distinguir as palavras "*Sēva, Shesh Nag! Sēva, Shesh Nag!*"[37].

Quando contornamos uma curva, um filete de luz que foi ficando mais forte começou a iluminar aquela espécie de túnel. E assim pude ver que as paredes eram decoradas com serpentes de pedra, de todos os tipos e tamanhos. Com as bocas escancaradas, apareciam enroscadas nas pilastras ou estendendo-se por vários metros junto ao teto. E o que nos causou um espanto maior

[37] **Em hindi, língua falada na Índia, "Salve Shesh Nag! Salve Shesh Nag!".**

ainda foi o fato de que os olhos daqueles répteis eram feitos de pedras preciosas. Contemplamos maravilhados os rubis, as esmeraldas e os diamantes que projetavam chispas em todas as direções.

Ficamos tentados a desengastar logo ali aquela pedraria toda, mas, atiçados pela curiosidade, forçamo-nos a prosseguir. Alguns metros adiante, chegamos num balcão, que, através de escadas dos dois lados, dava para um salão de paredes doiradas e que tinha ao centro uma estátua. Nesse ponto, o coro era ensurdecedor. Pudemos distinguir o som de flautas e tambores que acompanhavam a monótona melodia formada somente daquelas três palavras *Sēva, Shesh Nag! Sēva, Shesh Nag!*.

Foi então que pude ver a monstruosidade das monstruosidades!

Lourenço parou um pouco para respirar e passou um lenço pelo rosto coberto de suor. Manuel, que ardia de curiosidade ante o relato do marinheiro, perguntou com impaciência:

— E que monstruosidade era essa?

— Um ídolo de muitos metros de altura, meio humano, meio animal. O corpo era de uma mulher nua, sentada com as pernas cruzadas, as mãos abertas e espalmadas. A cabeça era de uma serpente com a boca aberta, onde se viam as presas de marfim e a língua bifurcada. As escamas que a cobriam eram doiradas, e seus olhos, duas esmeraldas do tamanho aproximado de um ovo.

Mas a riqueza do ídolo não se resumia somente àquilo. A base do altar em que ele se encontrava parecia ser feito de ouro maciço, decorado com fileiras de pedras preciosas. Também as paredes eram cobertas com folhas de oiro. Tudo aquilo brilhava intensamente sob a luz de centenas de archotes que os fiéis levavam.

Estávamos como que hipnotizados pelo coro, pelo brilho das pedras preciosas e do oiro. Foi então que Duarte esbarrou num bloco de pedra que caiu do balcão e foi estatelar-se, metros abaixo, no pavimento.

Um homem vestido com uma túnica doirada e o peito coberto de colares, que devia ser o sumo sacerdote daquela seita, levantou a vista em nossa direção. Ao se deparar conosco no balcão, gritou a plenos pulmões "*Shesh Nag kē khilāpha apavitrīkara a!*"³⁸. Como que obedecendo a seu comando, os fiéis ergueram as tochas e passaram a gritar "*Shesh Nag kē khilāpha apavitrīkara a!*", apontando-nos o dedo.

Começamos a recuar. Já não era sem tempo, porque a multidão de fiéis, sempre gritando "*Shesh Nag kē khilāpha apavitrīkara a!*", subia a escadaria dos dois lados.

Saímos em disparada pelo corredor, mas logo fomos alcançados por aquela gente enlouquecida. Mal a multidão, armada de facões e espadas, aproximou-se mais, demos vários tiros em sua direção. Aterrorizados com o estrondo e a morte dos companheiros, eles recuaram. Aproveitamos para correr até a entrada do templo antes que aquela gente nos alcançasse.

E sempre recuando, descemos correndo as escadarias e nos internamos na floresta.

— E fugiste de lá sem levar nada de precioso? — perguntou Manuel José.

— Nada! Nem uma folha de oiro ou mesmo uma pedra das muitas que lá havia. Um punhadinho delas, e estaríamos ricos! — completou Lourenço

---

³⁸ Em hindi, "Sacrilégio contra Shesh Nag!".

com tristeza. — E bastava termos arrancado alguns dos rubis e esmeraldas das serpentes esculpidas no corredor sem ter que enfrentar a multidão furiosa. Não fosse Duarte ter sido um desastrado...

Lourenço deu um suspiro, bebeu mais um copo de vinho e disse:

— Mas Duarte não cometeu somente essa imprudência. Por causa dele é que temos agora Pedro Maciel e seu bando em nosso encalço.

— Como Pedro Maciel veio a saber do tesoiro?

— Ora, Duarte contou-lhe. Já em Calicute, embebedou-se em companhia de Pedro Maciel, do Taipas e do Bocanegra e soltou a língua! Sujeito mais estúpido! Que os diabos o carreguem! Contou-lhes tudo, de maneira que teu pai e eu tivemos que fugir antes que pudéssemos lá voltar.

— E o que aconteceu a Duarte?

— Pedro Maciel, como prêmio, o matou.

Manuel José bocejou, Lourenço sorriu e disse:

— Já é tarde. Deves estar cansado. Confesso-te que também estou. Que tal se fôssemos dormir?

De fato, o garoto, apesar de seguir com interesse a longa narrativa de Lourenço, mal conseguia manter os olhos abertos.

Manuel José mal caiu sobre o cobertor que lhe puseram aos pés do catre de Lourenço, logo adormeceu. Contudo, não dormiu tranquilo, pois teve um pesadelo em que a grande serpente dourada lhe aparecia, movendo a língua e dizendo em meio a sibilos: *"Shesh Nag kē khilāpha apavitrīkara a!"*.

7. Grandes planos

No outro dia, Manuel José acordou com Lourenço, que se vestia.

— Está cedo ainda — disse-lhe o marinheiro, ao ver que ele tentava se levantar —, descansa mais um pouco.

— Aonde vais?

— Vou ver se descubro quando a nova frota parte para as Índias. Quanto a ti, não convém que saias.

Manuel José tornou a se deitar, aninhando-se no cobertor. Não bastasse o frio que fazia naquela manhã, ainda por cima sentia-se seguro no quarto, longe das garras de Pedro Maciel. Como tivesse perdido o sono, começou a refletir sobre tudo o que Lourenço lhe tinha revelado. Encadeando os fatos, passou a entender o porquê da atitude estranha do pai logo quando retornou das Índias. Então, era a perseguição daqueles homens maus que o havia deixado tão assustado!

— Maldito tesouro! — disse com raiva.

Mas ao pronunciar a palavra "tesoiro", sua imaginação acendeu-se. Ele via-se penetrando no templo de Shesh Nag na companhia de Lourenço e arrancando as pedras preciosas dos olhos das serpentes. O que faria com tanta riqueza? Voltaria a Portugal e compraria um palácio, depois se casaria com uma senhora de nome, teria criados a seu serviço e seria conhecido como D. Manuel José de Almeida.

Até que adormeceu e sonhou que estava dentro do templo de Shesh Nag, percorrendo o corredor sinuoso, ouvindo o coro de vozes entoar *"Shesh Nag kē khilāpha apavitrīkara a!"*. Um frio corria sua espinha à medida que ele e Lourenço mergulhavam cada vez mais nas trevas. Quando um fio de luz iluminou o túnel e as pedras preciosas dos olhos das víboras começaram a brilhar, eles pararam. Lourenço tirou um punhal da cintura e começou a arrancar esmeraldas e outras pedras que Manuel José ia guardando nos bolsos.

Estavam tão imersos nessa atividade que não se deram conta de um ruído de algo na penumbra. Mas foi só Lourenço parar de quebrar a argamassa que ouviram melhor aquele rumor que crescia cada vez mais.

Paralisados pelo medo, perceberam então que o ruído era do rastejar de uma enorme serpente dourada. O ídolo de Shesh Nag tinha ganhado vida e, incitado pelo sacerdote, vinha vingar-se dos homens que haviam ousado cometer o sacrilégio de roubar seus bens mais caros.

Lourenço colocou-se à frente de Manuel José, procurando defendê-lo do monstro, mas a língua do réptil enroscou-se nele, puxou-o para as presas que o dividiram em pedaços. Depois de engolir o pobre homem, a besta voltou-se para Manuel José.

As pernas paralisadas pelo terror, ele permanecia como que hipnotizado pelo brilho dos grandes olhos de esmeralda. Foi então que sentiu o bafo morno e pestilento da serpente. Quando a língua o envolveu, sacudindo-o de um lado para o outro, deu um grito de terror.

— Manuel, o Manuel! O que tens?

Manuel José abriu os olhos e se deparou com Lourenço, que o sacudia.

— Tiveste um sonho mau, meu rapaz!

O garoto, ainda com as imagens de horror na cabeça, esfregou os olhos e disse:

— Tive um pesadelo. Sonhava que a grande serpente de Shesh Nag nos devorava...

Lourenço deu uma gargalhada.

— E com isso tu te mijaste todo!

Envergonhado, Manuel José levantou-se.

— Mas agora — disse Lourenço —, podes ficar sossegado. Descobri que em março parte uma armada para as Índias sob o comando de D. Pedro Álvares Cabral!

— E é grande a armada?

— Sim! Segundo me disseram, contará com treze naus e caravelas! E cada uma delas é bem melhor e mais aparelhada do que qualquer uma que D. Vasco da Gama usou para ir até as Índias.

E sempre falando da nova armada, Lourenço dirigiu-se com Manuel José até o refeitório da estalagem, onde comeram. Depois que mataram a fome, o marinheiro continuou a dizer:

— Pelo que pude saber, andam a procura de homens experientes...

Como Manuel José fizesse cara de desapontamento, Lourenço abriu um sorriso e completou:

— Não te preocupes, que também precisarão de novatos como tu. Sou amigo de um dos homens que estão a recrutar para a armada. Quando menos esperares, estaremos dando volta ao Cabo das Tormentas e chegando às Índias.

Os olhos de Manuel José brilharam. Mas, desconfiado, ainda achou de perguntar:

— É mesmo certo que conseguirás que eu embarque?

— Mas claro que vais embarcar, ou não me chamo Lourenço Pinheiro! — disse o marinheiro, exaltado. — Não sou homem de falsas palavras. O que prometo cumpro.

Lourenço levantou-se, limpando a boca com as costas da mão, e disse:

— Voltarei a conversar com meu amigo. Pediu-me que o procurasse à tarde na Intendência.

Manuel José também se levantou, disposto a acompanhá-lo. Lourenço fez um gesto com a mão detendo-o:

— Quanto a ti, é melhor que me esperes aqui. Não convém que saias por aí com esses malvados à tua procura.

Ele jogou algumas moedas sobre a mesa.

— Come que te fartes, que a longa viagem exigirá muito de ti. Depois, descansa, para te recuperares do pesadelo. E que tenhas somente sonhos bons.

E deixando Manuel José sozinho, saiu cantando uma velha canção de marinheiros:

Lá vem a Nau Catrineta, que me tem muito que contar;
Sete anos e um dia sobre as águas do mar.
Já não tinham que comer, nem tão pouco que manjar,
Deitaram sola de molho pra no domingo jantar.

8. O retorno de Lourenço

Após almoçar bacalhau com batatas, Manuel José tornou a se deitar. Quando acordou, já era quase noite. E Lourenço? Por que não tinha voltado ainda? — perguntou-se, preocupado. Apreensivo, esperou-o, correndo até a entrada do quarto, quando ouvia a porta de fora bater ou passos no corredor. Por fim, não podendo mais suportar a ansiedade, resolveu sair à sua procura.

Mas a procura de Manuel José, que se estendeu até tarde da noite, foi inútil. As vielas estavam cheias de bêbados, vagabundos e prostitutas, que se divertiam nas tabernas, cantando e brigando. No meio daquela confusão toda, não conseguiu encontrar o amigo. Desanimado, voltou para a estalagem.

Ao abrir a porta do quarto, Manuel José ouviu um gemido

— Quem é? — perguntou a medo.

— Manuel... — uma voz cheia de dor lhe respondeu.

— Lourenço?!

— Sim..., sou eu mesmo — disse Lourenço com dificuldade.

Manuel José correu até uma lamparina dependurada na parede e acendeu-a. Quando o quarto se iluminou, ele não pode reprimir um grito de horror, pois deu com Lourenço deitado no catre.

— O que aconteceu?

O marinheiro disse com dificuldade:

— Eles pegaram-me, Manuel!

Lourenço tentou se levantar, mas não conseguiu.

— Água — murmurou.

Manuel José correu até a moringa e encheu um copo. Voltou, sentou-se na beira do leito e estendeu-o a Lourenço, que bebeu com sofreguidão. Para seu horror, reparou que a roupa do marinheiro estava toda empapada de sangue.

— Precisas de um cirurgião! — disse, fazendo menção de se levantar.

Lourenço agarrou sua mão e puxou-o de volta.

— Não, cirurgião algum conseguirá me curar.

— Mas estás mal... — insistiu o garoto.

— Já te disse. Será perda de tempo procurar um cirurgião agora. Quando voltares com ele, já estarei morto. Prefiro que fiques aqui comigo.

Manuel José sentou-se a seu lado. Lourenço, sempre tossindo e fazendo longas pausas, contou-lhe como havia saído à procura do amigo para combinar os detalhes da viagem. Contudo, antes de chegar a seu destino, encontrou-se com Pedro Maciel, João Taipas e Simão Bocanegra numa viela. Antes que pudesse fugir, eles o atacaram. Em inferioridade numérica, lutou com eles por alguns minutos. Depois que o subjugaram, os malvados fizeram de tudo para que ele revelasse onde estava o mapa.

— Como nada encontraram — disse, respirando com dificuldade e apontando para a saca num canto do quarto —, bateram em mim até mais não poder.

Manuel José levou mais um copo d'água aos lábios do moribundo. Lourenço prosseguiu contando que os três o haviam submetido a toda sorte de torturas. Irritados com sua mudez, apunhalaram-no e deixaram-no como morto no beco.

— E como vieste até aqui? — perguntou Manuel José com lágrimas nos olhos.

— Nem sei como. Creio que com a ajuda de Nosso Senhor Jesus Cristo, que me amparou e me permitiu que viesse ter contigo...

— Estás mesmo mal, talvez um cirurgião... — insistiu Manuel José, ameaçando se levantar.

— Não, fica aqui comigo e ouve o que tenho a dizer-te... Mal eu feche os olhos, pega a outra metade do mapa em minha saca, vai-te sem demora daqui e esconde-te em algum lugar. Estamos a seis de março, não? Pelo que ouvi dizer a armada deverá partir dia nove...

Lourenço tossiu outra vez, respirou fundo e continuou a falar com muito esforço:

— Portanto, deverás aguardar um pouco, sempre escondido, e depois procurar um modo de embarcares para as Índias...

— Iremos juntos — disse Manuel, chorando. — Não quero embarcar sozinho.

— Não, não é possível, meu caro amigo.

Manuel José procurou segurar as lágrimas. Para animar o marinheiro, pôs-se a falar daquele sonho que animava a ambos:

— Embarcaremos em busca do tesoiro. Voltaremos ricos e...

Lourenço deu um sorriso triste e, cortando a animação do garoto, disse:

— É tarde, meu querido... Gostaria muito de ir contigo e pôr as mãos naquele tesoiro... Mas os malditos pegaram-me de jeito... Quanto a ti, como dizia: deves embarcar... Para isso, procura meu amigo...

Antes que dissesse o nome de seu contato na Intendência, Lourenço levantou o corpo, deu um grito e voltou a cair de costas no catre. Manuel José sacudiu-o. Em vão: o homem estava morto. O garoto permaneceu ainda algum tempo ao lado do amigo. Depois, fechou seus olhos. Juntando as mãos, rezou por ele, pedindo a Deus que sua alma repousasse em paz.

Foi então que ouviu a porta da entrada bater com estrondo e vozes que lhe pareceram familiares, perguntando onde era o quarto de Lourenço. Sem perda de tempo, Manuel José remexeu a saca do velho marinheiro e encontrou um saquinho com a outra metade do mapa. Correu até a janela do aposento, que ficava no segundo andar da estalagem, e pulou para o beco escuro logo abaixo. Mal se levantou e começou a correr, ouviu que gritavam do alto:

— O pequeno! Está a fugir! Vamos atrás dele!

Mas foi inútil o grito de Pedro Maciel. Manuel José conhecia como ninguém aqueles becos e vielas. Dobrando uma esquina, dobrando outra, descendo as ladeiras, as escadarias, logo despistou os perseguidores e chegou ao cais, onde se escondeu no meio dos tonéis e sacarias. Tremendo de frio e chorando com a morte de Lourenço, acabou por adormecer.

9. O alistamento

Ao acordar, Manuel José deixou o abrigo e foi a uma estalagem, onde comeu um pedaço de broa, acompanhada de linguiça. As forças restabelecidas, voltou ao cais e começou a pensar no seu alistamento na frota. Infelizmente, Lourenço havia morrido antes que tivesse tempo de revelar o nome do amigo que talvez pudesse ajudá-lo. Precisava então contar somente consigo.

E foi o que fez. Perguntando a uns e outros, encontrou o edifício da Intendência, onde se alistavam os homens para a frota de Pedro Álvares Cabral. Soube então que estavam requisitando um número grande de pessoas para compor a tripulação, perto de mil e quinhentos marinheiros. Muito inocente, concluiu que não teria dificuldades para encontrar um lugar na armada.

Ao chegar ao edifício da Intendência, teve a primeira desilusão, ao saber que a idade mínima requerida eram quinze anos. Mesmo assim não desanimou e entrou numa longa fila.

Após quase uma hora de espera, um homem assentado a uma mesa, tendo diante de si folhas de papel, penas e um tinteiro, perguntou de maus modos:

— O que queres aqui, pirralho?

Manuel José, que tinha ficado na ponta dos pés, de maneira a aumentar um pouco a estatura, disse:

— Vim me alistar.

— Vieste te alistar? Esta é uma viagem para homens e não para miúdos como tu.

— Sou pequeno, mas já completei os quinze anos — Manuel José mentiu.

— Quinze? Não tens nem mesmo onze anos!

— Juro por tudo quanto é sagrado.

— Vai-te daqui!

— Por favor...

— O próximo! — gritou o homem, fazendo um gesto abrupto, como se quisesse afastá-lo dali.

— Por favor... — tornou a insistir Manuel José, quase chorando.

Irritado com a teimosia do garoto, o homem ergueu-se. Ante a gargalhada dos marinheiros, apanhou-o pela camisa, arrastou-o até a porta e atirou-o na rua, após lhe dar um pontapé nos fundilhos. Manuel José levantou-se da lama. Lágrimas de dor e ódio vieram-lhe aos olhos.

Manuel José pôs-se a andar pela rua. E se voltasse lá e tentasse mais uma vez? — pensou. Contudo, lembrando-se da brutalidade do homem, desistiu. Foi então ao cais e ficou por algum tempo admirando as naus e caravelas que desciam o rio em direção ao Restelo.

Mas teve de sair logo dali, não só por causa do feitor, mas também porque avistou, em meio à multidão, Pedro Maciel, Simão Bocanegra e

João Taipas. Na certa, estavam à sua procura. Retornou à Lisboa, onde foi se abrigar nas ruínas de um casebre na Alfama.

Lá, passou o resto do dia pensando em tudo quanto é estratagema para ludibriar o encarregado do alistamento na Intendência. Como não tivesse uma única boa ideia, começou a chorar de desespero. Bem que podia ser um pouquinho maior ou já ter completado os quinze anos! Só por isso perdia a grande oportunidade de sua vida. Em completo desânimo, andou de Lisboa até a praia do Restelo, onde gastou um longo tempo contemplando as naus e as caravelas que se agrupavam para a viagem.

E, num dia belíssimo, de muito sol, chegou a véspera da partida. Manuel José teve oportunidade de contemplar as magníficas cerimônias celebradas em homenagem a Pedro Álvares Cabral. Isso, ao menos, serviu para levantar um pouco o seu ânimo, bastante abatido depois da morte de Lourenço e da recusa do encarregado do alistamento na Intendência.

10. As celebrações da partida

As celebrações da partida dos navegadores foram realizadas num domingo, na ermida de São Jerônimo[39]. A capela estava toda decorada com as mais finas tapeçarias e um toldo de veludo e fios de ouro tinha sido erguido especialmente para abrigar a família real.

Cheio de ansiedade, Manuel José havia chegado bem cedo à porta da capela, onde já se concentrava uma pequena multidão. Como fosse miúdo, não lhe foi difícil esgueirar-se entre as pessoas e chegar a um local privilegiado.

Ao ouvir os gritos de "Viva, D. Manuel! Viva, D. Manuel!", Manuel José ficou todo excitado. Forçou a cabeça entre as cinturas de dois homens que teimavam em ficar à sua frente, para ver Sua Majestade que chegava.

[39] Capela erguida no bairro de Belém, por ordem do infante D. Henrique.

D. Manuel caminhava devagar à frente de seu séquito, formado das pessoas mais importantes da corte. Vinha vestido com calções de veludo vermelho. Cobria o peito com um gibão[40] do mesmo tecido, decorado com fios de ouro e prata e pequenas pérolas. Sobre o gibão, trazia uma faixa com as cores de Portugal. À cabeça, levava a coroa, enfeitada de pedras preciosas. Na mão direita, tinha o cetro, formado de um bastão terminado num globo, como a simbolizar o mundo de que vinha tomando posse.

E ele não deixava de voltar a cabeça ora para a direita, ora para a esquerda, cumprimentando os súditos com um sorriso magnânimo. O povo, quase em êxtase, estendia os braços e gritava sem parar:

— Viva, D. Manuel!

À entrada da capela, postava-se, em uniforme de gala, a guarda de honra. Ela estava ali para impedir que a multidão invadisse o local. Formando uma barreira e usando as alabardas[41] para afastar os mais atrevidos, os soldados procuravam facilitar a entrada no recinto de El-Rei e das figuras da nobreza e do clero.

Aproveitando-se da confusão armada na escadaria da capela, Manuel José agachou-se e meteu-se entre as pernas de um dos guardas. Após engatinhar por alguns metros, o garoto se viu dentro da ermida. Ele esgueirou-se entre os nobres que

---

[40] Espécie de casaco curto que cobre o peito, desde o pescoço até a cintura.

[41] Antiga arma constituída de um longo cabo de madeira terminada num ferro pontiagudo, atravessado por outro em forma de meia-lua.

o olhavam irritados, segurando com força as bolsas na cintura, de medo que ele estivesse ali para roubá-las. E assim, empurrando um, empurrando outro, conseguiu chegar num bom local, de onde pôde assistir à cerimônia.

Manuel José maravilhou-se com a profusão de velas, tochas, lâmpadas votivas e candelabros de ouro que pendiam do teto, com os ricos tecidos, estofos e tapeçarias das paredes e com o toldo, sob o qual se assentou D. Manuel. No altar, vestido de ricos paramentos, estava D. Diogo Ortiz, bispo de Ceuta. Auxiliado por dois freis, celebrou a missa e proferiu um sermão. Além de exaltar a glória de D. Manuel, ainda exortou os homens da frota a expandir as fronteiras do Império e a propagar a fé cristã entre os infiéis.

Após o sermão, D. Ortiz benzeu uma bandeira da Ordem de Cristo[42] e uma touca vermelha ofertada pelo Papa e entregou-as a D. Manuel. El-Rei passou-as a D. Pedro Álvares Cabral, que agradeceu, inclinando a cabeça. Terminada a cerimônia, El-Rei e seu séquito, protegidos pelas colunas de alabardeiros, com D. Ortiz à frente, erguendo ao alto um grande crucifixo de ouro, saíram em procissão até a praia do Restelo.

Os campos de Belém fervilhavam de gente. Aproveitando-se do fato de ser domingo e ainda mais dia de festa, as pessoas tinham vindo ali para se divertir com a vista das naus e das caravelas ancoradas no

---

[42] A Ordem de Nosso Senhor Jesus Cristo originalmente era uma ordem religiosa e militar, criada em 14 de março de 1319 pelo Papa de então, aceitando pedido do rei D. Dinis.

Restelo e com a cerimônia. Em bancas de madeira, vendedores de peixe frito e refresco ofereciam a mercadoria aos passantes.

Os que possuíam barcos rodeavam as naus, observando de perto as bandeiras de várias cores que adornavam os mastros. Animando ainda mais a cena, ouviam-se toques de trombetas, atabaques, tambores, flautas, gaitas que celebravam a maior frota que jamais havia estado naquela praia.

Os olhos de Manuel José corriam sem descanso todo aquele espetáculo de cores, sons e movimentos. Mais do que as ricas vestes, a postura aristocrática e arrogante dos nobres, a imponência da guarda, o que o impressionava mesmo eram as naus ancoradas no Tejo.

De tão encantado que estava, nem se lembrava de satisfazer seu pobre estômago, que roncava e parecia não ser ouvido. Manuel José ora virava para um lado, atraído por um grito, por uma exclamação, ora se fixava nas grandes velas decoradas com uma cruz vermelha, ora nos marinheiros que se debruçavam das bordas das naus, também se divertindo com o movimento da multidão.

E foi esse espetáculo grandioso, em sete de março de mil e quinhentos, que apressou a decisão de Manuel José. De tão excitado que ficou com o espetáculo, acabou chegando à conclusão de que tinha que encontrar um meio para embarcar. Não, ele não podia ficar fora daquilo tudo! Era seu direito fazer parte da expedição e ir em busca do tesouro pelo qual seu pai e o amigo Lourenço haviam morrido.

E foi pensando nisso que pulou de uma caixa em que havia subido para ver melhor o movimento. Era já tarde, e o sol ameaçava esconder-se atrás de uma colina. Fazia frio, e o estômago de Manuel José roncou mais uma vez. Deu mais uma olhada para as naus, cujas bandeirolas agitavam-se sem cessar e disse, respirando fundo:

— Hei de embarcar, custe o que custar, ou não me chamo Manuel José!

11. Um encontro desagradável

Manuel José dirigiu-se a uma taberna, onde devorou algumas sardinhas e metade de uma broa. Depois, ficou longo tempo pensando na melhor maneira de embarcar. Tinha plena consciência de que por meios legais não seria possível. Além de o homem da Intendência não aceitá-lo de maneira alguma, também o alistamento havia terminado.

Chegou então à conclusão de que só lhe restava uma saída: embarcar como clandestino. Nunca tinha navegado, mas já conhecia embarcações como aquelas. O pai, antes de viajar para as Índias, havia conseguido com amigos que o filho visitasse uma nau. Mas o que fazer para entrar numa delas sem ser percebido? Manuel José refletiu durante algum tempo. E se subisse numa nau pelo cabo da âncora para, depois, se esconder nos porões?

Ao pensar nisso, sentiu um calafrio. Mas já estava decidido: iria mesmo como clandestino. E era naquela noite que precisava embarcar, porque, no dia seguinte, a frota ia zarpar do Restelo.

Levantou-se e começou a pensar nos preparativos. Era preciso providenciar os alimentos necessários para a longa viagem. Lembrando-se do farnel do pai quando da viagem para a Índia, decidiu levar uma porção de carne salgada, bolachas e frutas secas. Manuel José desceu as vielas da Alfama à procura de um lugar onde pudesse comprar alimento.

Dirigiu-se a uma praça iluminada por tochas e fogueiras, onde se realizava uma festa. Prostitutas, bêbados, marinheiros divertiam-se bebendo e dançando ao som de trombetas e tambores. O garoto entrou numa taberna e encomendou frutas secas, duas grandes broas, peixe salgado, velas e pederneiras[43].

Manuel José deixou a taberna e começou a atravessar a multidão que, garrafas à mão, continuava a se divertir. Foi então atraído por uma cena cômica. Uma mulher de grandes seios, que pareciam querer fugir da blusa, os cabelos desgrenhados e muito suja avançava contra um homenzinho que caía de bêbado. Amedrontado, ele procurava fugir dela. E as pessoas para se divertir atiçavam ainda mais o mulherão:

— Dá-lhe com os peitos nas fuças, Maria Badalhoca! Acaba logo com esse pandilha[44]!

Por instantes, Manuel José esqueceu-se de sua missão e se divertiu com a fúria de Maria Badalhoca.

Foi então que alguém o agarrou por detrás.

— Ah! Peguei-te, malandro!

---

[43] **Pedra que, friccionada com outra igual, produz faíscas. Muito usada no passado para produzir fogo.**

[44] **"Pessoa suja"; "pandilha" é o mesmo que "covarde".**

Manuel José voltou o rosto para ver quem o tinha agarrado. Era um homem grande, com uma cicatriz na face. Para seu horror, reconheceu, à luz das tochas, o João Taipas.

— Larga-me! — gritou em desespero.

Como Manuel José não parasse quieto, João Taipas, torceu-lhe um braço e puxou-o contra si.

— Então, pensavas que podias escapar assim de nós, hein, Manuel?

Manuel José sentiu o estômago revirar-se, porque o homem tinha um hálito pestilento.

— Estás enganado. Não me chamo Manuel — tentou argumentar.

— Deixa-te de histórias, tu és mesmo o filho do Moiro — disse Taipas, apertando o garoto ainda mais entre os braços.

Vendo que não conseguia enganá-lo ou escapar, Manuel José começou a debater-se e a berrar. Apesar da grande confusão ao redor, a agitação do garoto atraiu a atenção das pessoas, entre elas, um membro da guarda, que perguntou:

— O que está acontecendo?

Mais que depressa, Manuel José aproveitou-se para dizer:

— É este homem que, além de me roubar, tentou abusar de mim.

— Como "abusar"? — perguntou o soldado, aproximando-se.

Ao ver o membro da guarda, João Taipas achou mais prudente largar Manuel José. A esta altura, a multidão deixou em paz a tal da Maria Badalhoca e o homenzinho bêbado e veio espiar a nova cena.

— Ele disse que gosta de garotinhos — mentiu Manuel José, levando as mãos ao rosto e fingindo que chorava.

— Hei! — protestou João Taipas. — É mentira dele. Eu...

— E o que fazias abraçado a ele? — perguntou um homem que havia observado o incidente desde o início.

— Isso mesmo! — interveio Maria Badalhoca, avizinhando-se com ar ameaçador. — Não tens vergonha? Com tanta mulher por aí e abusando de pobres garotinhos? Por isso mesmo, mereces uma lição!

João Taipas começou a recuar, assustado com a mulher.

— Não, minha boa mulher. Não foi isso que aconteceu...

Sem esperar que ele dissesse mais alguma coisa, ela deu-lhe um bofetão. Com o golpe, João Taipas baqueou e caiu.

— Quero ver se vais ainda se aproveitar de garotinhos! — berrou ela.

Foi o sinal para que a multidão avançasse contra João Taipas, disposta a castigá-lo. Mais que depressa, Manuel José fugiu da confusão. Desceu uma escada, entrou num ruela e correu em direção ao Restelo. A caminho, ria sem parar do seu estratagema, bendizendo Maria Badalhoca, que o tinha socorrido.

12. O embarque clandestino

Nas escuras águas do Tejo, brilhavam pontinhos luminosos, o reflexo das tochas colocadas na proa[45] das naus. O garoto contemplou aqueles vultos sombrios que flutuavam na escuridão e foi tomado pelo medo.

Ajoelhando-se no cais, orou, pedindo a proteção de Nossa Senhora da Ajuda. Fez fogo com as pederneiras, acendeu uma vela e conferiu se seus bens estavam em ordem. As outras velas, os mantimentos, o saquinho com os pedaços do mapa do tesouro. Dando-se por satisfeito com a inspeção, guardou-os no saco de couro, que amarrou na cintura.

Sem mais hesitar, Manuel José fechou os olhos e mergulhou no rio. Como era um bom nadador, ritmando as braçadas, venceu logo a distância

[45] **Parte da frente de uma nau ou caravela, oposta à popa.**

entre ele e a nau mais próxima. Manuel José rodeou-a até achar o cabo da âncora e agarrou-se a ele. Permaneceu ali por um bom tempo, a cabeça e os braços fora d'água, apenas movendo as pernas para vencer o frio e recuperar as forças.

Quando se dispôs a escalar o cabo, olhou para cima e quase teve uma vertigem. Não se lembrava de que uma nau fosse tão alta! Será que conseguia chegar até a proa? Sabendo que não tinha mais tempo a perder, refreou o medo e começou a escalar o cabo da âncora. Os primeiros metros não foram tão difíceis, mas, a certa altura, sentiu cãibras, de modo que teve de parar e esticar a perna dolorida.

Voltou a escalar o cabo. Quando estava quase tocando o balaústre da proa, ouviu vozes. Para seu terror, reparou que dois homens da guarda haviam se aproximado. Ele se ocultou sob a borda da proa e ficou ouvindo a conversa dos marinheiros:

— Afinal, partimos.

— Graças a Deus! Não suportava mais esta espera, ó Jerônimo. Fosse por mim, já estava nas alturas das Canárias.

— Se pelo menos a viagem resultar em fortuna para nós, Gonçalo, valeu tanta espera.

— Fortuna, Jerônimo? Não sejas parvo, homem. Fortuna somente para os graúdos. Para nós, os pobres, só migalhas.

Manuel José voltou a tremer de frio. As cãibras provocavam dores agudas na batata das pernas. As palmas das mãos raladas sangravam, e ele mal conseguia suportar o peso do corpo. E nada de os guardas se afastarem. Pelo contrário, continuavam muito calmos a conversar:

— Se queres saber, ó Jerônimo, voltarás é com o escorbuto, com as febres, em vez dos dobrões de oiro.

— Que o diabo te carregue com estes teus maus agoiros[46].

Quando Manuel José estava no limite de suas forças, já se vendo despencar daquela altura, os homens afastaram-se. Suando frio e gemendo, o garoto recomeçou a erguer o corpo até que sua mão tocou a borda da proa. Parou para respirar um pouco. Depois, numa manobra ousada, largou do cabo, jogou-se no ar e agarrou-se a uma viga. Lançando um dos pés para cima, prendeu-o numa reentrância.

Com muitas dores, julgou que não ia conseguir saltar sobre a amurada. Mas, ao pensar que já tinha superado o mais difícil, respirou fundo e retesou os músculos. E, assim, puxando com os braços e os pés, venceu o último obstáculo. Ofegante, deixou-se cair de costas do outro lado do balaústre.

Lavado de suor, sentia dores e cãibras nos braços e nas pernas. Ele permaneceu por longo tempo no tombadilho. Sabia que podia ser surpreendido pelos vigias, mas a fraqueza que o dominava naquele instante fazia com que não tivesse ânimo para se levantar. Ficou por algum tempo deitado, os olhos fixos nos altos mastros, nas velas que permaneciam enroladas, esperando o momento propício para que fossem abertas.

Apesar de quase aniquilado pelo enorme esforço que havia feito, sentia-se orgulhoso. Sem a ajuda de ninguém, tinha vencido a força das águas, o frio, o medo da altura, a vigilância da guarda. E, como prêmio, estava dentro de uma das naus que ia para as Índias!

[46] **O mesmo que "agouro". Um mau agouro significa um presságio ruim.**

13. Nos porões da nau

Manuel José tornou a ouvir as mesmas vozes de antes. Arrastou-se até um grande rolo de cordas, dobrou-se todo e escondeu-se dentro dele. Não era sem tempo. Os vigias Gonçalo e Jerônimo voltavam a fazer a ronda, enquanto conversavam sobre a viagem às Índias.

— Então, Gonçalo, se dizes que não voltarás com fortuna das Índias, por que embarcaste?

— Queres saber por que embarco? Estou a dever mais de cento e vinte cruzados ao Bartolomeu da Fonte. Tu o conheces, não? Aquele maldito! Ele andou dizendo por aí que, se não o pagasse, mandava-me cortar a garganta. Antes que faça isso, vou de fugida...

— Lá nas Índias poderás ganhar o que nunca ganhaste e pagar a tua dívida, Gonçalo.

— És mesmo parvo, Jerônimo. Achas que se ganhar dinheiro nas Índias irei pagar as minhas dívidas? Que o diabo carregue o Bartolomeu da Fonte e mais o seu dinheiro! O que é certo mesmo é que eu fique lá nas Índias. Quem sabe não poderei abrir um negócio?

A conversa começou a deixar Manuel José sonolento. Ele mal conseguia ficar com os olhos abertos. Mas sabia que não podia adormecer ali. Pela manhã, com certeza seria surpreendido pela tripulação e expulso do navio. O melhor que tinha a fazer era aproveitar-se da escuridão e procurar um bom esconderijo.

Esperou que os dois homens se distanciassem, deixou o rolo de cordas e saiu engatinhando pelo tombadilho até se deparar com uma escotilha[47]. Passou por ela, desceu as escadas e viu-se em plena escuridão.

Era o primeiro dos portões, cheio de pipas, onde se armazenavam o vinho e a água consumidos a bordo. Como Manuel José desconfiou que o local seria muito frequentado, achou prudente descer mais um lance de escada e procurar local mais seguro. Pegou uma vela no saco. Depois de muitas tentativas, porque as pederneiras estavam úmidas, conseguiu fazer fogo. Iluminando o caminho, desceu alguns degraus e chegou a outro porão, onde se armazenava a carga.

Reparando numa montanha de sacos, viu que no meio dela havia um espaço onde podia muito bem se esconder. Escalou a sacaria, acomodou-se o melhor que pode e arrumou seus pertences. Conservou os mantimentos junto a si. Mas o saquinho com os pedaços do mapa, seu mais precioso bem,

[47] **Alçapão no tombadilho do navio que dá acesso aos porões para pessoas ou carga.**

julgou que era melhor esconder em outro lugar. Depois de muito pensar, ocultou-os num espaço formado pelo encontro de duas traves no teto do porão.

Sentou-se, tirou do alforje um naco de broa e uma sardinha e comeu com apetite. O estômago satisfeito, espreguiçou-se e apagou a vela. Começou a sentir uma agradável sonolência. O frio havia passado, a barriga não mais roncava de fome. Encolhendo-se todo, terminou por cair num sono profundo.

14. A partida da esquadra

Era uma segunda-feira, nove de março. O dia estava belíssimo. Não bastasse o céu azul, ainda soprava uma fresca brisa, prometendo boa viagem à esquadra. Um tiro de bombarda[48] da nau capitânia[49] saudou Pedro Álvares Cabral que vinha numa barcaça, acompanhado dos pilotos Pero Escobar e Afonso Lopes, de frei D. Henrique, do despenseiro Afonso Furtado, responsável pelos bens a bordo, e do escrivão Pero Vaz de Caminha[50].

Pedro Álvares Cabral, depois de subir a bordo da nau capitânia, que tinha por nome D. Manuel, seguiu até o camarote, situado na popa. Mas voltou logo em seguida ao convés, onde o mestre e o contramestre[51], com apitos, disciplinavam o trabalho da tripulação.

[48] Peça de artilharia pequena.

[49] Era aquela em que embarcava o capitão-mor da armada. Abaixo dela em importância, havia a nau sota-capitânia. Separada em duas divisões, a frota que chegaria ao Brasil contava com seis outras naus, três caravelas, uma nau mercante e uma pequena nave com mantimentos.

[50] Nascido perto de 1450, no Porto, de família importante, seguiu na frota de Cabral como escrivão, e foi nessa qualidade que redigiu a famosa carta dando conta da chegada ao Brasil a D. Manuel. Morreria na Índia, em 16 de dezembro de 1500, numa batalha com os mouros.

[51] Mestre: oficial logo abaixo do capitão-mor, que, inclusive, o substitui em sua ausência; o contramestre é quem organiza diretamente o trabalho da tripulação.

Enquanto as velas eram desdobradas e tornavam-se côncavas com a força do vento, Pedro Álvares Cabral observava com atenção o trabalho dos marinheiros. O mestre Bernardo da Costa lhe disse:

— Senhor capitão-mor, esperamos vossas ordens para a partida.

— Já conferiste se tudo está em ordem? — perguntou Cabral.

— Sim, senhor capitão-mor, só aguardamos vossas ordens.

— Então, podemos partir.

Bernardo da Costa fez uma reverência, voltou-se para a tripulação, que se postava em silêncio no convés, e fez soar o apito. O contramestre também apitou, e os homens correram para seus postos, enquanto a âncora era lançada na água. Pedro Álvares Cabral apoiou as mãos no balaústre, respirou fundo, encheu os pulmões com a brisa salgada e sorriu com satisfação. Cheio de orgulho, contemplava a frota que se distanciava do Restelo.

Pedro Álvares Cabral era o capitão-mor da frota e comandava a nau capitânia da esquadra, a mais bem equipada de todas. Os outros capitães eram responsáveis pelas outras embarcações. Após conferenciar com o piloto e o mestre, Cabral deixou o convés e recolheu-se a seu camarote.

Quanto a João Manuel, os saltos que a nau capitânia começou a dar fizeram com que ele despertasse. Abriu os olhos e seu estômago revirou-se todo. E o pobre vomitou o que tinha comido na véspera. Sem contar que passou a sentir muita sede, devido ao peixe salgado ingerido.

A falta de água começou a torturá-lo. Mesmo assim, não ousou sair de onde estava, porque temia ser surpreendido. Como ainda se sentisse muito cansado, procurou dormir. Em vão: os movimentos bruscos da nau jogavam-no contra os sacos, o enjoo e uma dor de cabeça mantinham-no desperto.

E assim passou ele a maior parte do tempo, maldizendo o dia em que teve a infeliz ideia de embarcar. Se estava se sentindo tão mal ainda no começo da viagem, o que dizer então quando estivesse em alto-mar enfrentando uma das terríveis borrascas de que tanto se falavam? Na certa, sucumbiria, vitimado pela sede, pelos vômitos, como costumava acontecer aos marinheiros de primeira viagem.

Quando a frota ganhou de vez o mar, e o movimento das naus se tornou mais ritmado, Manuel José melhorou um pouco. Os vômitos cessaram, bem como a dor de cabeça, mas a sede continuava a atenazá-lo. Por isso, foi até onde se encontravam as pipas e, abrindo uma delas, bebeu deliciado. Fechado o tonel, retornou ao esconderijo.

15. Nas Ilhas Canárias

Cinco dias depois da partida, perto das nove horas da manhã, a esquadra se encontrava perto das ilhas Canárias. O tempo muito bom e os ventos soprando favoravelmente haviam permitido que as naus percorressem uma distância de 700 milhas náuticas, a uma velocidade média de 5,8 nós[52].

Nessa altura da viagem, Manuel José sentia-se bem melhor. Mas continuava ainda atormentado pelo intenso calor propiciado pelo clima da região. Não bastasse isso, outra coisa veio piorar sua situação: a escassez de alimentos. No quarto dia, foi despertado pelo barulho dos ratos dentro do saco de provisões, que tinha esquecido aberto na noite anterior. Espantou-os aos socos e pontapés, mas o mal já estava feito, sem contar que o que sobrou tinha sido afetado pela umidade.

[52] **Milha:** unidade de distância usada em navegação que corresponde a 1.850 m. **Nó:** unidade de velocidade igual a uma milha marítima por hora. Com base nessas medidas, pode-se dizer que a esquadra de Cabral, da praia do Restelo até as Ilhas Canárias, havia percorrido o equivalente a 1.295 km, a uma velocidade média de 10,73 km/h, o que era considerado excelente para a época.

Pensou então em pegar um pouco das provisões da nau. Contudo, veio a descobrir que os alimentos estavam trancados nas arcas e baús com cadeados. Era uma providência do despenseiro Afonso Furtado, para evitar os roubos. Com isso, Manuel José viu cortada a possibilidade de conseguir provisões. E assim, se não passava sede, começou a sentir o tormento da fome.

Como Manuel José está neste momento adormecido, provavelmente sonhando com postas frescas de peixe assadas na brasa, retornemos a Pedro Álvares Cabral. Nesse instante, o capitão-mor caminhava impaciente de um lado para outro no castelo da popa[53].

Os ventos haviam cessado, levando as naves, com a calmaria, a permanecerem imóveis. Cabral aproveitou-se do impedimento em navegar para conferenciar com Aires Gomes da Silva, Vasco de Ataíde, Nicolau Coelho e Bartolomeu Dias[54], além de seu escrivão Pero Vaz de Caminha. Ele acreditava ter chegado o momento de revelar-lhes o segredo da missão. Ou seja, o desvio que deviam fazer da rota até as Índias, para tomar posse das terras que se sabia haver a oeste.

Quando os homens chegaram, assentaram-se em torno de Pedro Álvares Cabral. O capitão-mor disse em tom bastante baixo, como se temesse ser ouvido pelo restante da tripulação:

[53] **Estrutura erguida sobre o convés do navio, onde geralmente se localizam os camarotes dos oficiais.**

[54] **Figura histórica importante e injustiçada, (? - 1500), ficou célebre por ser o primeiro navegante português a contornar o até então intransponível Cabo das Tormentas, em 1488. Mesmo assim, não foi reconhecido por seu feito, porque tanto na frota de Vasco da Gama quanto na de Cabral obteve uma posição secundária, jamais chegando à Índia como deveria ser seu sonho.**

— Senhores, convoquei-vos para vos colocar a par de um assunto de suma importância...

Ele se calou, como se procurasse a melhor forma de comunicar a notícia da mudança de rota. Após abrir sobre uma mesa baixa um mapa à frente dos capitães, disse:

— Como é de vosso conhecimento, passando as ilhas de Cabo Verde, para evitar as calmarias do Golfo da Guiné, devemos nos deixar levar pelas correntes a oeste...

— Em seguida, iremos para sudeste, não é? — disse Vasco de Ataíde, pondo o dedo sobre o mapa e desenhando uma rota imaginária que levaria as naus ao temido Cabo das Tormentas.

— É isso o que desejava vos comunicar: não seguiremos logo para sudeste, pois mudaremos a derrota, indo oeste adentro.

— Mudaremos a derrota?! Como assim, Senhor? — perguntou, intrigado, Vasco de Ataíde. — Quereis dizer que não vamos mais para as Índias?!

Enquanto o nobre manifestava seu espanto, Nicolau Coelho e Bartolomeu Dias trocavam um sorriso revelador. Experientes pilotos, haviam entendido o que significava aquela mudança brusca de rota.

— Não, meu caro, não deixaremos de ir para as Índias. Talvez não tenha me explicado de modo correto. Não mudaremos nosso destino final, apenas, alteraremos circunstancialmente a derrota.

— Perdoai, Senhor... — perguntou Vasco de Ataíde de modo hesitante —, mas alteraremos a derrota por que razão?

Em vez de se dirigir a Vasco de Ataíde em particular, Cabral disse de um modo solene a todos os presentes:

— Senhores, vamos em direção d'oeste ao encontro de novas terras.

— E por expressa vontade de Vossa Senhoria? — insistiu Vasco de Ataíde, como se achasse estranho que Pedro Álvares Cabral se atrevesse a mudar a rota de uma esquadra tão dispendiosa como aquela.

Captando no ar a dúvida do capitão, Cabral não se ofendeu. Apenas sorriu e disse de modo superior:

— Não por minha expressa vontade, mas por vontade expressa daquele que nos governa, Sua Alteza, El-Rei D. Manuel!

Antes que alguém perguntasse alguma coisa, Cabral explicou:

— Como é do vosso conhecimento, com o Tratado de Tordesilhas, ficou estipulado que todas as terras que porventura se encontrassem a 370 léguas[55] de Cabo Verde seriam de propriedade de Portugal. Sendo assim, Sua Majestade pediu-me que alterasse a derrota, navegando em direção d'oeste, para que, quanto antes, tomasse posse dessas terras.

— E por que não fomos informados na saída da esquadra em Lisboa? — perguntou Vasco de Ataíde com uma ponta de despeito.

Antes que Cabral dissesse alguma coisa, Bartolomeu Dias interveio com modéstia:

— Talvez porque Sua Alteza desejasse sigilo. Se os castelhanos ficam sabendo de nossos planos...

— Mas agora não é preciso mais sigilo, não? — perguntou Aires Gomes da Silva.

— Agora não. E é por esse motivo que vos digo o que me foi ordenado ainda em Lisboa. É conveniente, pois, que participeis isso aos capitães das demais naus e que alerteis os pilotos e a tripulação dos vossos barcos.

[55] **Medida antiga que variava entre 5.000 a 6.000 e poucos metros.**

Os capitães despediram-se. Pedro Álvares Cabral ficou ainda algum tempo conferenciando com Pero Vaz de Caminha no castelo de popa.

O despenseiro Afonso Furtado, que, muito respeitoso, permanecia a distância, aproximou-se. Inclinando-se, perguntou:

— Senhor, podemos conversar agora?

— Sim, o que desejas?

Era um problema que vinha atormentando Afonso Furtado já há algum tempo, o aumento do número de ratos nos porões. Foi o que, muito ressabiado, comunicou pela segunda ou terceira vez ao capitão-mor. Cabral, ao ser lembrado daquele assunto mais que trivial, fez um gesto de irritação e disse:

— Ah, sim, os ratos... Mas já não te disse que tomasses as providências que julgasses necessárias, homem?

Meticuloso como era, Afonso Furtado ainda insistiu:

— Mas, senhor, precisava de vossa autorização para deslocar dois homens dos serviços diários para o trabalho.

— Muito bem, Afonso Furtado, vai ao contramestre e requisita em meu nome os homens que quiseres para o trabalho.

16. A caça aos ratos

Quando Afonso Furtado foi requisitar os homens para a caça aos ratos, nem precisou invocar o nome do capitão-mor para ser atendido de pronto.

— Serve-te de quem te aprouver — disse o contramestre, fazendo um gesto largo com a mão. — Um pouco de atividade não fará mal a esses malandros.

O despenseiro coçou a cabeça, olhando ao redor de si. Alguns marinheiros costuravam parte das velas ou cosiam botões nas roupas, outros dormiam, a cara tapada com o boné. Um homem, encostado ao mastro, tocava viola e cantava:

Canas do amor, canas,
Canas do amor.
Pelo longo de um rio,
Canavial vi florido,
Canas do amor.

Afonso Furtado pensou em requisitá-lo. Mas como lhe agradasse ouvir a canção que lhe recordava a terra natal, resolveu poupá-lo. O despenseiro tornou a coçar a cabeça, olhando ao redor de si. Ao dar com dois homens que praguejavam, enquanto jogavam cartas, coisa que sabia que os padres a bordo reprovavam, decidiu-se por eles e chamou-os. Um deles, com cara de poucos amigos, atendeu-o, dizendo:

— O que desejais de nós, Senhor? Nada sabemos dos assuntos tão nobres da despensa.

Afonso Furtado fez que não ouviu a ironia. Com um gesto imperioso, ordenou aos homens que o seguissem:

— Tomai uma candeia, um saco, pedaços de pau e ide aos porões para dar cabo dos ratos.

Com toda a má vontade possível, espreguiçando-se, lançando pragas contra Afonso Furtado, os homens abriram a escotilha e desceram as escadas. E começaram a vasculhar os recantos da nau.

Enquanto um deles iluminava com a candeia, o outro com o pedaço de pau procurava acertar os ratos, que corriam apavorados. Quando conseguia acertar uma paulada num roedor, o homem apanhava-o pela cauda, suspendia-o no ar e jogava-o dentro do saco, dizendo com desprezo:

— Mais um para o jantar do maldito D. Furtado!

O ruído das pancadas violentas contra o tabuado da nau, contra as caixas, o grito dos homens e o guincho dos ratos deixaram Manuel José sobressaltado. Sabia que se eles descessem até o porão onde se encontrava não tinha para onde fugir. Por isso mesmo, orou a tudo quanto é santo, mas santo algum podia ajudá-lo naquele instante.

Não demorou muito, lá vinham os homens. Em desespero, o garoto procurou enfiar-se ainda mais entre os sacos. Mas, com esse movimento, derrubou uma caixa que caiu no chão com estrondo.

O homem iluminou o local do acidente e comentou:

— Ora, ora, ora, parece que temos uma ratazana das grandes...

O outro homem, balançando o pedaço de pau, deu um sorriso mau e disse:

— Não te parece muito estranho um rato fazer balouçar desse jeito a sacaria? Ou será outra espécie de rato que está ali?

E começaram a tirar os sacos. Quando davam com um roedor, usavam propositadamente de muita força para esmagá-lo, enquanto praguejavam:

— Para o inferno, e que o diabo te carregue!

Até que a luz da candeia bateu sobre o rosto aterrorizado de Manuel José.

— Ó Bocanegra, já tinhas visto um rato desse tamanho? — disse o homem que usava uma venda preta num dos olhos.

O garoto reconheceu na hora a voz de Pedro Maciel. E isso fez que ficasse ainda mais inteiriçado pelo medo.

— O que fazemos com esta ratazana? Esmagamo-la com o pau? — sugeriu Simão Bocanegra com uma gargalhada.

Pedro Maciel enfiou a mão entre os sacos e puxou Manuel José pelo braço. O garoto nem resistiu, tamanho era seu pavor. O homem da venda preta pegou a candeia, examinou Manuel José e disse, entre surpreso e alegre:

— Pois não é, Bocanegra, que eu seria capaz de jurar que este ratão se parece em tudo com o filho do Moiro!

Sempre segurando Manuel José preso pelo braço, perguntou ao companheiro:

— E tu adivinhas o que estaria ele a fazer aqui?

— E como poderia eu sabê-lo, ó Pedro?

— Homem, não sejas parvo, pensa um pouco.

Simão Bocanegra coçou a barba rala, abriu e fechou os olhos e disse de um modo hesitante;

— Bem..., se ele é mesmo o filho do Moiro, talvez esteja indo em busca do tesoiro...

— E se está indo em busca do tesoiro, na certa...

— ... terá o mapa consigo! — completou Simão Bocanegra, como se estivesse entusiasmado com a própria esperteza.

— Com certeza, terá o mapa consigo! E é o que nos vai revelar agora — disse Pedro Maciel voltando-se para Manuel José e tornando a iluminá-lo. — Não é mesmo, meu pequeno?

— Não sei de que tesoiro falam — gemeu o garoto.

— Ah, então não és filho do Moiro? — disse Pedro Maciel com ironia.

— Nunca ouvi falar desse homem.

Pedro Maciel entregou a candeia a Simão Bocanegra, ergueu o braço e deu uma bofetada em Manuel José, jogando-o contra os sacos. O homem revistou seus bolsos e o saco com o resto dos mantimentos. Não encontrando nada, pegou o punhal que trazia à cintura e gritou:

— Não penses que sou tolo como o Taipas, que se deixou enganar por ti e agora está preso na enxovia em Lisboa! Se não nos contares onde se encontra o mapa, furo-te todo, ou não me chamo Pedro Maciel!

— Ó Pedro — disse Bocanegra, que era bem estúpido, — se tu o furares, aí é que não nos contará onde está o mapa.

Manuel José, através da indiscrição de Simão Bocanegra, se deu conta de que o mapa era uma garantia de vida. Se o entregasse, sua vida não valeria mais nada. Quando Pedro Maciel tornou a perguntar do mapa, respondeu com a voz a tremer:

— Está escondido.

— Escondido onde?

Manuel José nada disse. Foi a vez de Simão Bocanegra dar-lhe uma bofetada, ao mesmo tempo que o sacudia com violência.

— Dize onde está ele, seu pelintra!

— Não, não o digo. Se o disser, serei morto.

Pedro Maciel sorriu e disse com falsa amabilidade:

— Está bem. Fazemos um trato. Se nos entregares o mapa, deixamos-te escondido aqui e não te faremos mal algum. Agora, se não nos entregares, furamos-te todo e te atiraremos aos peixes.

Manuel José hesitou um pouco, refletindo sobre o trato. Mas bastou que se lembrasse das palavras de Lourenço, avisando que Pedro Maciel não era homem de palavra, para pensar num jeito de enganar aqueles tratantes.

— Está bem, vou mostrar onde está o mapa.

Sempre seguro por Pedro Maciel, ele os levou até um canto do porão. Apontando para o alto, disse:

— Está ali.

— Ali onde? — perguntou Simão Bocanegra, levantando a candeia.

— Ali — insistiu de modo vago o garoto.

— Ali no meio daquelas traves? — perguntou Pedro Maciel, que depois completou com um sorriso: — Não és nada tolo, hein, meu rapaz? Haveria local melhor para se esconder um mapa?

— E como vamos apanhá-lo? — perguntou Simão Bocanegra.

Pedro Maciel refletiu um pouco e disse:

— Vai o garoto, e nós o esperamos cá abaixo.

— E não tem perigo de que ele nos escape?

— E escapar como, cabeça de asno? Só se fosse um rato.

Mas, pelo menos, nesse caso, Simão Bocanegra tinha toda a razão. Foi por ali que Manuel José escapou. É que ele sabia que, bem no alto, havia uma pequena abertura, suficiente para a passagem de uma criança magra como ele. Escalou as traves. Chegando ao buraco, espremeu-se e passou para o porão superior. Nem bem ficou de pé, ouviu Pedro Maciel, que gritava:

— O maroto fugiu! Corre lá, Bocanegra, vamos apanhá-lo antes que chegue ao convés.

No porão superior, Manuel José alcançou a escada, subiu correndo os degraus, passou pela escotilha e achou-se no tombadilho. E agora, o que fazer? Foi então que se deu conta de que não tinha mais para onde escapar. Deveria subir num mastro? Não teve nem tempo de refletir sobre isso, porque os homens já passavam pela escotilha. Pedro Maciel vinha à frente, com o punhal na mão, e Simão Bocanegra seguia-o, brandindo o pedaço de pau.

Manuel José saiu em disparada. No meio do caminho, porém, bateu a cabeça contra algo macio. Com o choque, perdeu o equilíbrio. Quando ia cair de costas, alguém o agarrou pela camisa rasgada, ao mesmo tempo que perguntava:

— Hei! Onde vais tu, meu malandrim?

17. Um encontro providencial

Cheio de terror, Manuel José levantou o rosto e se deparou com um homem de barbas, que o fitava intrigado. O homem de barbas sabia que de vez em quando pessoas tentavam embarcar às escondidas para tentar a sorte em outros lugares. Mas um garoto... Tão franzino que era difícil conceber como tinha conseguido entrar na embarcação.

Nisso, Pedro Maciel e Simão Bocanegra chegaram esbaforidos. O homem da venda preta, vendo quem tinha agarrado Manuel José, escondeu o punhal e disse:

— Inda bem que vós o apanhastes, Senhor Caminha. Esse tratante, além de clandestino, estava a roubar das cousas do Senhor El-Rei.

Era na verdade Pero Vaz de Caminha, o escrivão da nau capitânia, o homem com quem Manuel José havia se chocado. Num primeiro momento, ele chegou a acreditar na história que Pedro Maciel contava, mas uma coisa o intrigou. Era que não lhe haviam passado despercebidos o punhal nem o porrete que os homens traziam consigo. Além disso, reparou também que o menino tinha um forte hematoma na boca. Afinal, para prender um rapazinho tão frágil como aquele, armas e violência seriam necessárias?

— Pois então, Vossa Senhoria, não ides nos entregar o peralta?

— O que íeis fazer com ele?

— Aplicar-lhe um corretivo e levá-lo ao meirinho[56] para que o pusesse a ferros.

— E queríeis aplicar-lhe um corretivo com um porrete e um punhal?! — exclamou Caminha, indignado.

— Apenas para nos defender. O tratante tinha uma faca consigo e tentou nos ferir.

A resposta de Simão Bocanegra, que tinha o péssimo hábito de abrir a boca na hora errada, deu certeza ao escrivão de que eles estavam mentindo. O que podia fazer uma criança como aquela contra dois homens fortes, mesmo se estivesse armada? O escrivão baixou os olhos e contemplou Manuel José. E viu tanto desespero em seu rosto que achou que algo não estava certo. Por isso mesmo, disse:

— Então, deixai-o comigo, que falarei eu com o meirinho.

— Mas onde se viu Vossa Senhoria se incumbindo de um serviço sujo como este?! Por favor, entregai o malandro a nossos cuidados que saberemos o que fazer com ele — tentou argumentar Pedro Maciel, falando sempre daquele jeito melífluo, como se procurasse agradar a Pero Vaz de Caminha.

---

[56] **Funcionário encarregado de manter a ordem e aplicar a lei a bordo.**

— Não, está dito! Eu mesmo falarei com o meirinho.

E sem mais dar confiança aos homens, Pero Vaz de Caminha, sempre segurando Manuel José pela gola da camisa, foi até seu camarim na popa da nau. Lá chegando, disse-lhe que se sentasse numa banqueta e observou-o durante alguns segundos.

E o que viu fez com que seu coração se abrandasse de vez. O garoto havia emagrecido e muito naqueles dias de fome forçada. Era só pele e ossos. Não bastasse isso, o medo experimentado havia sido tanto que não parava de olhar cheio de temor para todos os cantos, como se os facínoras ainda estivessem atrás dele.

— Acalma-te, que nada farão contra ti.

Não podendo mais suportar a tensão daqueles dias, Manuel José começou a chorar. E chorou tanto que seu corpo todo tremia. Quando ele pareceu mais calmo, Caminha pôs diante dele um pires com frutas secas e um pedaço de marmelada.

— Vamos, come.

Sem esperar segunda ordem, Manuel José avançou contra o alimento e, num instante, esvaziou o pires. O escrivão tornou a enchê-lo e disse de bom humor:

— Mas estás mesmo faminto!

Quando Manuel José pareceu ter a fome saciada, Pero Vaz de Caminha perguntou:

— Então, vais-me dizer por que aqueles homens estavam com tanta sanha atrás de ti?

Manuel José hesitou antes de falar porque não sabia ainda se podia confiar plenamente naquele homem. Mas, depois de alguns segundos, acabou por dizer:

— Sou clandestino...

— Isso eu já sei. Mas não era o bastante para estarem tão furiosos a ponto de quererem ferir-te com um punhal.

O garoto considerou se valia a pena revelar toda a verdade. A face de Pero Vaz de Caminha não mostrava hostilidade alguma. Mas como temesse por seu segredo, preferiu o caminho da meia verdade:

— Esses homens há muito que andavam atrás de mim...

— E posso saber por quê?

Manuel José lembrou-se da conversa dos homens da guarda, quando havia subido no navio, e disse:

— Por causa de uma dívida de jogo.

Pero Vaz de Caminha deu uma gargalhada.

— Dívida de jogo? Mas tu és ainda um pirralho para estares a jogar as cartas.

— Desculpai-me, Senhor, mas não vos expliquei direito. Quem tinha uma dívida de jogo com esses homens era meu pai.

— Muito bem, teu pai devia dinheiro a eles... E o que tens a ver com isto?

— Como meu pai não tinha como pagar-lhes, juraram matar-me. Então, resolvi fugir e, por minha má sina, acabei na mesma nau que eles.

— E teu pai? O que é dele?

Sempre soluçando, Manuel José contou como ele havia sido morto pelos facínoras. Contou também que, a partir daí, começaram a persegui-lo sem tréguas, obrigando-o a se esconder na nau.

— Mas que tratantes! Então, queriam matar a ti devido a uma dívida de jogo de teu pai? — disse Pero Vaz de Caminha.

— Isso mesmo, Senhor.

Pero Vaz de Caminha pensou por alguns segundos e depois disse como para si mesmo:

— Temos que dar um basta a esta situação...

O escrivão pegou Manuel José pelo braço e ordenou:

— Vem comigo.

O coração de Manuel José bateu assustado.

— O que ides fazer comigo, Senhor?

— Vamos falar com aqueles homens.

Apavorado, Manuel José ajoelhou-se e abraçou as pernas do escrivão, ao mesmo tempo que dizia:

— Por tudo quanto é sagrado, Senhor! Não me entregueis a eles!

Pero Vaz de Caminha apertou ainda mais o braço do garoto e disse:

— Pois julgas que tenho o coração de ferro, ó meu maroto? Vem, que não te deixarei a tua própria sorte.

Saindo do camarote, depararam-se com os dois homens, que ainda permaneciam no convés, como se aguardassem alguma coisa. Ao ver que o escrivão arrastava o garoto, vindo na direção deles, Pedro Maciel animou-se. Fez uma profunda reverência, no que foi imitado por Simão Bocanegra, e disse:

— Pois então, Vossa Senhoria, vos certificastes de que esse patife merece mesmo um corretivo? Na certa, quereis que o entreguemos ao meirinho...

Ao ver os olhos maldosos do homem que dizia aquelas coisas com tanta falsidade, mais o escrivão se irritou com ele. De modo que disse de maneira bem ríspida:

— Vim aqui para vos dizer o seguinte: este pequeno, d'ora em diante, estará sob minha guarda. Se acontecer de ele sofrer ferimentos de qualquer espécie, vós é que sereis responsabilizados por isso.

Pedro Maciel retesou os músculos do rosto, não disfarçando a raiva que sentia. Mesmo assim, controlou-se e disse:

— Por quem nos tomais, Vossa Senhoria? E somos nós facínoras a ponto de querer ferir uma criança?

— Não sei se o são, só sei que estavam ambos a persegui-lo, armados de punhal e porrete. Portanto, previno a ambos: se algo acontecer de mal a ele, hão de se haver comigo.

Muito tolo, como era seu hábito, Simão Bocanegra achou de perguntar:

— Mas, Vossa Senhoria, e se por acaso um raio se despenhar sobre a cabeça dele?

Pero Vaz de Caminha não pôde deixar de rir da ingenuidade do homem.

— Então, tu verás um raio despenhar-se também sobre tua cabeça.

E o escrivão virou-lhes as costas, arrastando Manuel José atrás de si e encerrando a conversa. Cheio de ódio, Pedro Maciel fechou o punho e deu com ele na cara de Simão Bocanegra.

— Ai! Que me magoaste — choramingou o homenzarrão.

— Tu, que nem és capaz de ficar com essa tua maldita boca fechada! Da próxima vez, só eu é que falo, que só tens cabeça para separar tuas orelhas de asno.

— O que queres dizer com isso? — perguntou Simão Bocanegra, enquanto massageava o nariz machucado. E continuou a falar: — Também tenho cabeça para nela nascerem os meus cabelos.

— Cala-te, ó besta! — resmungou Pedro Maciel, tomado pela fúria, os olhos injetados de sangue.

18. Uma ocupação para Manuel José

Sempre arrastando Manuel José, Pero Vaz de Caminha foi até o contramestre e disse:

— Senhor Madeira, queria pedir-te que pusesses este malandrim a trabalhar.

— Quem é ele, Senhor? Nunca o vi antes... — disse o contramestre, intrigado

— Um clandestino.

— Mas, Senhor — exclamou o homem, abrindo bem os braços —, os clandestinos têm de ser postos a ferros e, em seguida, desembarcados na terra mais próxima. São ordens expressas do senhor capitão-mor.

Pero Vaz de Caminha impacientou-se.

— Deixe que com o senhor capitão-mor me entendo eu. Por enquanto, sem mais demora, faze o que te peço.

O homem fez uma reverência.

— Mas com certeza, Senhor. Quem sou eu para não obedecer a um pedido de Vossa Senhoria?

— Então, dize-me, o que poderia ele fazer aqui a bordo?

O contramestre pensou um momento e, em seguida, disse:

— Creio que ele poderá auxiliar o despenseiro. Há cousa de três dias, o moço que o ajudava morreu de febres.

— Está bem, põe-no então a trabalhar na despensa.

O escrivão chamou Manuel José de parte e disse:

— Agora, tudo depende de ti. Trabalha que te fartes, obedece em tudo ao despenseiro, que muito ganharás com isto. É o que posso fazer por ti.

Manuel José foi apresentado ao despenseiro, o nosso já conhecido Afonso Furtado. Num primeiro momento, o homem não viu com bons olhos ter como ajudante um clandestino. Devia ser malandro e larápio — pensou.

No entanto, considerou que, ao ter perdido o moço que o auxiliava, seu trabalho havia aumentado e muito. Antes aquilo que nada — concluiu. Além disso, eram ordens do escrivão, e só tinha que obedecer. Como fosse muito cioso de suas coisas e seu ofício, foi logo tratando o garoto de maneira ríspida:

— Veremos o que poderás fazer... Mas, cuida-te! Quero-te aqui pelo alvorecer e só irás descansar na caída da noite.

A tudo Manuel José acenava com a cabeça, mal ousando erguer os olhos para o homem que tanto o intimidava.

— E ai de ti se ousares roubar comida! Dou-te uma surra e depois te lanço como comida aos peixes!

E, com poucas palavras, Afonso Furtado pôs o apavorado garoto a par do que devia fazer. Antes de tudo, ajudá-lo a zelar pelos mantimentos. A nau capitânia levava biscoitos, feijão, queijo, grão-de-bico, cebola, alho, especiarias, sal, carne-seca e salgada, postas secas de bacalhau, vinagre, azeite, figos, uvas-passas, amêndoas, açúcar, além de animais vivos, como galinhas e coelhos. Para beber, havia água e vinho. Tudo aquilo devia ser cuidado, não só para se evitar que fosse atacado pelos ratos e baratas, mas, sobretudo, pelos homens famintos.

Manuel José não precisava que Afonso Furtado o viesse ameaçar com uma surra se roubasse. Nunca faria uma coisa dessas. Tanto era assim que, pouco depois, o despenseiro parou de lançar aquele olhar enviesado para ele. Afonso Furtado veio a reconhecer que o rapazinho, além de honesto, era esforçado como ninguém. Cuidava por deixar a despensa bem limpa e vigiava os víveres com seus olhos espertos.

Não bastasse tanto zelo, ainda conhecia os números. O outro jovem, que Deus o tivesse, era analfabeto e mal sabia contar com os dedos. E assim, pouco a pouco, Manuel José foi caindo nas boas graças do despenseiro. A ponto de ele, uma vez ou outra, presenteá-lo com uma fruta seca.

— Não vás contar aos outros o que te fiz de presente. Caso contrário, corto tua ração, além de te dar a surra prometida! — comentava.

E ele era louco de contar? — pensava Manuel José e corria a se esconder entre as sacarias para saborear o doce...

E assim se estabeleceu a sua rotina. Mal o sol raiava, o garoto estava de pé. Varria e lavava o pequeno compartimento que servia de despensa. Depois, corria pelo convés e levava a primeira refeição ao capitão-mor, ao piloto, ao escrivão, ao mestre, ao capelão.

Como veio a descobrir que Pero Vaz de Caminha, mal acordava, apreciava muito uma porção de nacos de broa mergulhada no vinho, preparava ele mesmo a tigela. Não contente com isso, enquanto o escrivão ainda dormia, arrumava-lhe a pequena mesa de trabalho, pondo em ordem o tinteiro, as penas, espanando-lhe os poucos livros.

Quanto a estes últimos, gostava de virar-lhes as páginas ao acaso. Sabia ler, mas não o suficiente para enfrentar livros grossos e difíceis como aqueles. E foi assim que um dia Pero Vaz de Caminha despertou e reparou no garoto com um dos livros aberto nas mãos e os olhos postos no espaço, como se estivesse sonhando.

— Ora, pois — disse o escrivão, fingindo severidade —, vieste cá para mandriar?

— Perdão, Senhor — respondeu Manuel José, levantando-se rápido —, aqui está vossa tigela com o vinho e a broa.

— Não estavas a ler, pois não? — perguntou o escrivão, mesmo desconfiando de que a resposta seria negativa.

— Não, ainda não consigo ler um livro desse tamanho — respondeu o garoto, envergonhado. Logo em seguida, perguntou, entregando-lhe o tomo: — De que trata este livro?

— É *As Vidas*, de Plutarco[57]. Conta dos exemplos dos homens ilustres da Antiguidade.

Os olhos de Manuel José iluminaram-se.

— Senhor, será que um dia serei capaz de lê-lo?

Pero Vaz de Caminha fixou nele os olhos e perguntou:

— Chegaste a aprender as primeiras letras, meu pequeno?

Manuel José abanou a cabeça com tristeza e disse com toda seriedade:

— Quando minha mãe ainda era viva, ensinou-me o alfabeto, a escrever o meu nome e a somar, multiplicar e dividir números pequenos.

---

[57] **Historiador grego (46 d.C. - 120 d.C.), autor de *Vitae Parallelae* (*Vidas Paralelas*), traduzida para o espanhol em 1491 como título de *Las Vidas*.**

Pero Vaz de Caminha quase chegou a rir com o tom sério empregado pelo menino. Mas se segurou e disse:

— Se tiveres força de vontade e tenacidade, poderei ensinar-te a ler como se deve. Basta quereres.

— Senhor! Quando começamos?

O escrivão caiu na risada.

— Não agora, meu pequeno, que tens ainda muito o que fazer. Mas, quando chegar a noite e tiveres te desincumbido de tuas obrigações, procura-me. Com muito gosto, ensinar-te-ei a ler como se deve.

19. A rota para o oeste

Era já quase o fim de março. A frota, passando Cabo Verde, já ia tomar o rumo para o oeste, quando um incidente veio perturbar a rotina a bordo. No dia vinte e três, os navegantes entraram num denso nevoeiro. Ao saírem dele, notaram com preocupação que a nau de Vasco de Ataíde, a "Victória", tinha se extraviado. Mais que depressa, o capitão-mor mandou realizar buscas.

Apesar das providências tomadas e das muitas preces dirigidas por D. Henrique, foi tudo em vão. Dois dias depois, a frota outra vez embicou na direção do oeste, com a tênue esperança de que Vasco de Ataíde e seus homens ainda pudessem alcançá-la.

Debruçado na amurada, ao lado de Pero Vaz de Caminha, Manuel José ouviu o escrivão dizer, desalentado:

— Pobres homens...

— O que aconteceu a eles, Senhor Caminha?

— Provavelmente foram comidos pelo mar.

Depois, a frota entrou noutra zona de calmarias. Foram dez dias, em que apenas soprava uma brisa muito leve. As naus ora permaneciam paradas sob o sol escaldante, ora se deslocavam à velocidade de 1 nó apenas. Devido a isso, os marinheiros andavam com os nervos à flor da pele. Qualquer pequeno incidente era motivo para irritação ou brigas.

Preocupado com a situação e obedecendo às instruções do capitão-mor, D. Henrique organizou com os padres representações religiosas para divertir os homens. Mas não eram só as representações que distraíam Manuel José, fazendo-o esquecer das ameaças de Pedro Maciel e Simão Bocanegra. Também sentia prazer em estudar com o escrivão, que se mostrava um mestre paciente. Mal terminava as obrigações diárias, o garoto corria até o camarote de seu protetor. Sentava numa banqueta e, com um livro no colo, esforçava-se por decifrar as páginas que tanto o intrigavam.

Em bem pouco tempo, conseguiu o grande feito de ler algumas poucas páginas de Plutarco. Impaciente, queria a todo custo devorar o livro. Sobretudo depois que o escrivão lhe resumiu uma das histórias, as fabulosas aventuras do grande herói Teseu[58].

— Calma, meu jovem, Deus não fez o mundo num só dia — ria-se Pero Vaz de Caminha, vendo

[58] **Herói lendário da Grécia antiga que enfrentou o monstro Minotauro, metade homem, metade touro, que aterrorizava os habitantes da ilha de Creta.**

os tremendos esforços que Manuel José fazia para se inteirar do que acontecia em determinada passagem.

O jovem levantava o rosto desesperançado.

— E quando, ó Senhor, é que poderei ler todo o livro por minha própria conta?

— Tudo depende de ti. Como és aplicado, dentro de um ano, creio que poderás ler todo o livro.

— Um ano, Senhor Caminha?! — dizia o jovem desanimado.

— Sossega, meu pequeno. Tens ainda a vida inteira pela frente. Quando menos deres conta, já terás lido todo o Plutarco e mais o Cícero e o Julio César[59].

— Cícero? Júlio César? E quem foram eles?

— Noutra hora saberás. Agora já é tarde. Toca a dormir que amanhã teremos mais um dia trabalhoso pela frente.

---

[59] **Marcus Túlio Cícero (106 a.C.-43 a.C.), escritor romano, autor de *De Natura Deorum* (*Sobre a Natureza de Deus*) entre outras obras; Caio Júlio César (100 a.C.-44 a.C.), imperador e historiador romano, autor de *De Bello Gallico* (*As Guerras da Gália*).**

20. Sempre para o oeste

Manuel José logo ficou conhecido de todos a bordo da nau capitânia. Como era muito prestativo, conquistou a confiança não só do despenseiro, como também do mestre, do contramestre e do piloto Afonso Lopes. Quanto a este último, Manuel José, como era muito curioso, de vez em quando, gostava de se informar sobre a rota, as cartas marítimas e o uso dos aparelhos de navegação. Notando o interesse do garoto, Afonso Lopes o instruía de bom grado, mostrando-lhe como consultar a bússola.

No caso, era um pequeno ímã, em forma de agulha que girava sobre uma rosa dos ventos:

— Repara bem, meu pequeno — explicava o piloto —, a bússola é um eficiente instrumento de orientação, porque aponta sempre para o polo norte. Com base nisso, temos como determinar nosso rumo.

Ensinou-o também a usar o astrolábio e a balestilha. O primeiro era um instrumento feito de ferro, com uma rodela graduada suspensa por um anel e que servia para medir a altura do Sol. Já o segundo, composto por uma vara, por onde deslizava outra perpendicularmente, servia para medir a altura das estrelas.

Manuel José não decepcionou o piloto, pois em pouco tempo sabia como manusear os aparelhos e fazer medições.

— Muito bem! — dizia, admirado, Afonso Lopes. — Tu és esperto. Se estudares com afinco as cartas marítimas e praticares mais, não demorará muito e poderás ser um piloto como eu.

Abril foi um mês de muita excitação para Manuel José. No dia nove, a frota venceu um grande desafio, ao atravessar a linha do Equador[60]. E, em vez de se deparar com o fim do mundo, como as mentes mais crédulas propagavam, encontrou bons ventos que impeliram as naus para sudoeste a uma velocidade de 5 nós.

Em meio a suas ocupações, o garoto, sempre que podia, voltava os olhos para as velas enfunadas, as bandeirolas tremulando no alto dos mastros, a quilha cortando as águas. Enchendo o peito com a brisa marinha, sentia-se feliz, mesmo sabendo que a rota para as Índias havia sido alterada. É que tinha muita curiosidade de conhecer a nova terra.

Tanto era assim que não se cansava de perguntar sobre ela ao escrivão:

— É verdade, Senhor Caminha, que nela habitam homens sem cabeça e com os olhos, a boca e o nariz no peito?

---

[60] Era considerado um grande desafio devido às superstições medievais, entre elas, a de que, após o Equador, o mundo terminava numa cachoeira, destruindo as naus.

O escrivão ria-se a mais não poder da imaginação do garoto, que ele sabia ser alimentada por crendices da época.

— Onde ouviste isto?

— É o que me contaram. Dizem também de bestas que vomitam fogo pelas ventas, de mulheres que têm o corpo de peixe e...

Pero Vaz de Caminha balançava a cabeça.

— Não creio que fosse provável existirem na nova terra criaturas tais. Homens sem cabeça, mulheres com rabo de peixe não passam de invencionices de escritores imaginosos ou mentirosos e de gente crédula.

Alguns dias depois, aconteceu a Semana Santa. Como era costume nas viagens, observou-se o mais estrito jejum. Não bastasse isso, recitaram-se ladainhas, realizou-se uma procissão na nau capitânia, e os padres trabalharam muito para absolver os pecadores nas confissões.

No Domingo de Ramos, porém, tudo foi festa. Era um belo dia, cheio de sol, e D. Henrique e os demais padres a bordo, vestidos com os mais ricos paramentos, rezaram missa solene, acompanhada do órgão. Após a cerimônia, o capitão-mor ordenou a Alonso Furtado que distribuísse marmelada e liberasse o vinho entre os homens, para celebrar a ressurreição de Jesus Cristo.

Mas um incidente veio quebrar a alegria de Manuel José e de novo reacender antigos temores. É que ele, na noite daquele dia, tornou-se a única testemunha de uma feia briga entre Pedro Maciel e Simão Bocanegra.

Aconteceu que os homens haviam se excedido na bebida. Depois de mais de quarenta dias no mar, aproveitavam-se da festa religiosa para extravasar um pouco. Sob os olhares escandalizados dos padres, contavam anedotas, cantavam músicas profanas ou se deixavam cair no convés abraçados aos canecões de vinho.

D. Henrique, incomodado com os excessos da tripulação, foi se queixar a D. Pedro Álvares Cabral.

— Deixai-os. São homens valorosos, que muito trabalharam nesses dias todos. Amanhã, passada a ressaca, voltarão à rotina — rebateu o capitão-mor com bom humor.

Não satisfeito com a resposta, D. Henrique saiu resmungando:

— Bebedeira num Domingo de Ramos...

À noite, ao contrário do dia, foi feia e escura. Manuel José voltava do camarote de Pero Vaz de Caminha. Quando cruzou o convés, ouviu vozes alteradas. Logo reconheceu como as de Pedro Maciel e Simão Bocanegra.

— Por que tomaste o vinho que me restava, Pedro?!

— Tomei-o porque és um tolo.

— Enganaste-me, dizendo que ias ver se era água ou se era mesmo vinho.

Manuel José balançou a cabeça. Onde já se viu homens barbados brigarem por uma caneca de vinho?

— Tu és mesmo uma besta! — disse Pedro Maciel, dando uma gargalhada.

— Sim, sou uma besta por andar contigo que sempre me enganas. Mas agora não me enganarás mais.

— Guarda esse punhal, homem! — Manuel José ouviu Pedro Maciel dizer de modo conciliador.

— Não, não o guardo. Vou furar-te todo. Verás então com quantos paus se faz uma canoa.

— É melhor te cuidares, que o contramestre está vindo. Olha ele aí atrás de ti!

— O contramestre? Onde, que não o vejo!

— Nem o verás mais, seu grande besta!

Ouviu-se um grito abafado, seguido do baque de um corpo.

— Ai! Que me enganaste de novo, Pedro! Ai! Que me feriste! — gemeu Simão Bocanegra.

— É para aprenderes a não erguer punhal contra mim.

— Ai! Que estou a sangrar. Por tudo quanto é sagrado, socorre-me!

— Socorrer-te? — Pedro Maciel deu uma gargalhada. — Vou é lançar-te ao mar para que faças companhia aos peixes.

O maior desejo de Manuel José era desaparecer dali o quanto antes, mas estava paralisado pelo terror. O máximo que conseguira fazer foi esconder-se atrás do mastro.

Pedro Maciel, após lançar o corpo do companheiro ao mar veio cantarolando pelo convés, como se nada tivesse acontecido:

Simão, Simão, eras uma besta,
Que o Diabo te carregue em sua cesta.

Para azar do garoto, a Lua mostrou-se naquele exato momento. Pedro Maciel, topando com Manuel José, agarrou-o pela gola da camisa e disse cheio de raiva:

— O que estavas aí a espionar?

— Eu juro que nada vi! — disse o garoto assustado e denunciando-se.

— Então, não viste que apunhalei e atirei a besta do Bocanegra ao mar! Pensas que sou estúpido?

— Juro que não conto a ninguém.

Pedro Maciel tirou o punhal da cintura e encostou-o no pescoço de Manuel José.

— Pois não vais contar mesmo. Se contares, furo-te todo. Ou pensas que vou arriscar meu pescoço por teres dado com a língua nos dentes?

Pedro Maciel refletiu um pouco. Em seguida, tirou o punhal do pescoço de Manuel José e perguntou com desconfiança:

— Não irias denunciar-me só porque matei aquele porco, não é? Ele não valia o pão que comia.

Manuel José respondeu com a voz trêmula:

— Não, não iria.

Pedro Maciel largou da camisa de Manuel José e disse com a voz mais branda:

— Se queres saber, era Bocanegra quem queria matar-te. Eu que o impedi várias vezes de fazer isto, porque sabia que, no fundo, és um bom rapaz. Quem sabe, não podemos nos entender agora que não temos mais este tratante para atrapalhar as cousas! O que achas da ideia?

Manuel José fingiu acreditar no que ele lhe dizia.

— Está bem.

— Está bem, como? Fecharás os olhos e ouvidos para tudo que viste e ouviste?

— Sim, é como se não tivesse visto nem ouvido nada.

— Também irás me mostrar o mapa?

Manuel José ficou em silêncio, e Pedro Maciel disse:

— Não és nada tolo, meu rapaz. Ainda seremos bons companheiros. O que achas de ficarmos sócios na busca do tesoiro?

— Pode ser...

Pedro Maciel deu um beliscão na face de Manuel José e disse, fingindo cordialidade:

— Muito bem, tudo tem sua hora. Quando quiseres, mostra-me o mapa, e aí partimos em busca do tesoiro. Achando-o, vamos dividi-lo entre nós, em duas partes exatamente iguais. Mas, por enquanto, bico calado. Que isto fique só entre nós.

21. A Ilha de Vera Cruz

Na terça-feira, 21 de abril, logo pela manhã, atraído pelos gritos da tripulação, Manuel José correu ao convés. Debruçando-se na amurada, viu com surpresa o que lhe pareceu ser um manto verde, formado de compridas ervas, que flutuavam sobre as águas. Voltou-se para Pero Vaz de Caminha e perguntou:

— O que é isto, Senhor?

— Os mareantes costumam chamar estas ervas de botelhos e rabos-de-asno[61].

— E de onde vieram elas?

Pero Vaz de Caminha disse com entusiasmo:

— Da terra, meu pequeno! Estamos a chegar!

Manuel José alongou a vista, para ver se conseguia vislumbrar a nova terra. Isso não lhe foi possível porque as naus ainda estavam a umas 660 léguas da costa.

[61] **Plantas aquáticas, espécies de algas, que indicam a proximidade da terra.**

No dia seguinte, uma nova surpresa aguardava o garoto. Pássaros de dorso pardo, com manchas roxas e cabeça branca mergulhavam e voltavam com peixes nos bicos. Eram os fura-buxos, que davam aos navegantes certeza absoluta de que a terra estava bem próxima.

À tarde, ao ouvir de novo a gritaria dos marinheiros e o som dos sinos repicando, Manuel José correu até a proa. E pôde ver um monte muito alto e redondo à distância. Já quase no crepúsculo, avistou montes baixos e uma faixa de terra coberta de arvoredo, separada da água por uma faixa de areia.

O capitão-mor decidiu que o monte fosse chamado de "Monte Pascoal", porque era Páscoa. A terra foi batizada de "Ilha de Vera Cruz", porque pensou que haviam descoberto uma grande ilha.

Depois de quarenta e cinco dias de viagem, fora a perda da nau de Vasco de Ataíde e o desaparecimento misterioso de Simão Bocanegra, que uns atribuíram a uma queda no mar, nada mais fora do normal havia acontecido.

Avançando, as naus foram parar a 36 quilômetros da costa, quando, afinal, lançaram âncora. E ali a frota passou a noite.

Manuel José, como grande parte da tripulação, não conseguiu dormir. Virava de um lado para outro no seu canto, ardendo de ansiedade. Não via a hora de desembarcar e penetrar no meio daquele maciço de árvores. Pero Vaz de Caminha o havia desiludido quanto à existência de prodígios na nova terra, mas tinha uma leve esperança de se deparar com algumas das maravilhas de que tanto tinha ouvido falar.

Como fizesse muito calor, ele subiu ao convés e ficou longo tempo refrescando-se com a brisa. E assim acabou adormecendo ali mesmo no tombadilho e só foi acordar com o sol que dourava o Monte Pascoal e a vegetação da nova terra.

Sob ordens do capitão-mor, as naus começaram a se mover. Manuel José queria ficar na amurada, observando o deslocamento da frota e a aproximação da costa, mas se lembrou de que tinha que ajudar o despenseiro a preparar o café da manhã. Mesmo assim, enquanto corria, subindo e descendo as escadas, levando vinho e broa ao capitão-mor, ao escrivão, ao mestre e contramestre, pode ver que as naus chegavam cada vez mais perto da terra. Até que elas pararam diante da foz de um rio que, saindo de um maciço de vegetação, desembocava na areia.

Nesse instante, ouvindo a gritaria da tripulação, Manuel José correu à proa, firmou a vista e viu sete ou oito homens nus. Ao contrário do que esperava, não eram negros e tinham a cabeça colocada sobre os ombros, como o comum das pessoas.

A aproximação da nova terra e a certeza de que ela era habitada levaram Pedro Álvares Cabral a chamar à nau capitânia os demais capitães com quem conferenciou. Depois disso, Nicolau Coelho, o experiente piloto, foi enviado num bote, com alguns homens, até a terra. De volta à nau, ele contou que tinham encontrado mais daqueles nativos. Mesmo sem descer do barco, haviam lançado à praia um gorro vermelho, uma touca de linho e um sombreiro preto, recebendo em troca um cocar de penas de papagaio vermelhas e pardas e um colar de conchinhas e pequenas pérolas.

Foi assim que se deu o primeiro encontro entre os portugueses e os habitantes da então chamada "Ilha de Vera Cruz".

22. Nativos a bordo

Na sexta-feira, a frota saiu à procura de um local onde pudesse encontrar abrigo, água potável e lenha. As naus seguiram ao longo da costa, a uma velocidade de 3 nós, passando por grandes barreiras de terra vermelha. No fim do dia, encontraram um conjunto de penedos, com uma abertura entre eles, que parecia seguro, pois ali as águas pareciam bastante mansas. A frota passou por entre os recifes e lançou âncora na foz de um riacho.

No fim da tarde, o piloto Afonso Lopes pegou um bote e foi até os rochedos, onde encontrou dois nativos que pescavam. Capturando-os, conduziu-os até a nau capitânia. Para impressioná-los, o capitão-mor vestiu as melhores roupas, pôs um grosso cordão de ouro no pescoço e sentou-se numa cadeira instalada sobre um tapete no castelo da popa. Ao redor dele e à luz das tochas, sentaram-se os demais.

Manuel José havia ficado entre os marinheiros, a alguns passos de distância. Assim pôde ver muito bem o que aconteceu naquele encontro entre os portugueses e os nativos.

Reparou que estes eram pardos, quase avermelhados, e traziam pedaços de ossos ou paus, da grossura de um fuso de fiar algodão, enfiados nos lábios e nas orelhas. Sobre os cabelos lisos e cortados curtos, usavam um curioso cocar de penas amarelas, que lhes cobria a nuca e as orelhas. Andavam nus, mas não pareciam sentir vergonha disso. Pelo contrário, pareciam ter tanta inocência em andar sem roupas quanto em mostrar o rosto. Além disso, para surpresa do garoto, não fizeram sinal algum de cortesia ao capitão-mor, tratando-o como se ele fosse uma pessoa comum.

Quanto ao que viram a bordo, não demonstraram muito interesse. Olharam de modo indiferente para o colar de ouro do capitão-mor e para um castiçal de prata, mas acenaram na direção da terra, como se lá houvesse daqueles metais. Porém, se mostraram tanto desprezo por coisas preciosas, o mesmo não aconteceu com objetos mais simples. Um deles, parecendo uma criança, ficou tão fascinado com um rosário de contas brancas que não sossegou enquanto não lhe deram de presente.

Quando viram um carneiro, não fizeram caso. Mas, quando lhes mostraram um papagaio, tornaram a apontar para a terra, como se quisessem dizer que lá havia mais daquela ave.

Até que aconteceu uma cena muito engraçada, que provocou o riso da tripulação. Ao verem uma galinha, os nativos ficaram amedrontados e não quiseram de jeito nenhum aproximar-se dela. Por fim, um deles avançou a mão, a ave cacarejou, ele recuou espavorido. Não fossem os marinheiros, o pobre teria se atirado ao mar. E não houve jeito de que pegassem a galinha. Estavam com medo dela como se a ave fosse um terrível animal selvagem.

O capitão-mor, achando que estavam com fome, ordenou que Afonso Furtado trouxesse pão, peixe cozido, doces, mel e compota de figos da despensa e lhes oferecesse. Foi só provar os alimentos que cuspiram tudo fora. E nem mesmo o vinho e a água a bordo lhes agradaram.

Manuel José, vendo a reação dos nativos diante de alimentos tão gostosos, perguntava-se que tipo de coisa aquela gente comeria. Folhas de árvores? Bocados de terra? Carne de serpentes?

Como já fosse tarde da noite, um dos nativos bocejou. Sem muita cerimônia, ambos se deitaram ali mesmo no convés e dormiram. O capitão-mor ordenou que pusessem almofadas debaixo de suas cabeças e os cobrissem com uma manta.

23. A primeira missa

Era o primeiro domingo depois da Páscoa. Pedro Álvares Cabral conferenciou com D. Henrique e ambos decidiram que uma missa deveria ser rezada em terra. O capitão-mor ordenou que um altar fosse erguido sob um toldo numa ilhota de coral, que passaria a ser chamada Ilhéu da Coroa Vermelha.

Manuel José não conseguiu se concentrar no ritual celebrado pelos padres da Companhia nem mesmo no sermão de D. Henrique. Isso porque estava encantado com a nova terra. Seus olhos não se cansavam de contemplar as flores e frutos, o voo de pássaros coloridos de galho em galho. Seus ouvidos captavam o ruído das águas do mar, dos regatos que vinham desembocar na orla, das aves que piavam e grasnavam. E suas narinas, com prazer, aspiravam o ar fresco, os múltiplos perfumes da natureza.

Quanto aos nativos, mostrando muito respeito, permaneceram por perto sentados e em silêncio. Mas só foi acabar a missa, levantaram-se e, tocando conchas e buzinas, começaram a saltar e a dançar. Manuel José, para seu espanto, havia reparado que traziam o corpo pintado, alguns deles com metade do tronco da própria cor e a outra metade de preto. Havia também nativos cobertos com uma pintura que imitava um tabuleiro de xadrez ou mesmo o couro de animais selvagens.

Mas o que deixou mais impressionado o garoto foi a visão de três ou quatro mulheres, bem moças, de cabelos pretos e compridos que vinham até as espáduas. Como jamais em sua vida tinha visto uma mulher nua, não conseguia tirar os olhos delas.

De retorno às naus, almoçaram. Para alegria de Manuel José, que se desincumbia a contragosto de seu trabalho, o capitão-mor decidiu voltar à terra. Entrando num barco de maior porte, a tripulação da nau capitânia e das demais naus passaram o ilhéu e foram ancorar na foz do rio Mutari[62]. Era um lugar muito aprazível, com bananeiras e palmiteiros, além de árvores de pau-brasil[63].

Os portugueses aproveitaram bastante o dia de folga. Uns pegaram mariscos e camarões, outros experimentaram os talos de palmito, as bananas que amareleciam nos cachos.

Manuel José deitou-se sob a copa de um enorme jacarandá. Quando estava quase adormecendo, ouviu o som de gaita e uma gritaria. Levantou-se e correu até um ajuntamento de nativos e portugueses. Reparou que Diogo Dias estava dançando entre os nativos. Com as mãos na cintura, fazia caretas e pulava ao som do instrumento, com isto

---

[62] Situado na Baía Cabrália, município de Santa Cruz Cabrália.

[63] Árvore cuja madeira era muito apreciada pelos portugueses devido à cor vermelha. Usada na tintura de panos, foi praticamente extinta.

provocando o riso dos marinheiros e nativos. Mas o mais engraçado aconteceu quando alguém gritou:

— Diogo, por que não tiras uma dama para dançar?

Diogo Dias não teve dúvidas. Pegou pela mão uma velha toda encurvada e desdentada e fez uma grande reverência diante dela. A mulher tentou resistir, mas ele a puxou e começou a dançar como se estivesse num salão da corte.

Quanto aos nativos, ainda que se divertissem, mostravam-se muito tímidos. Mal terminado o espetáculo, fugiram como se fossem animais do mato, recusando qualquer outro contato com os portugueses.

Como o dia estivesse acabando, os navegantes deram ainda mais uma volta pelos arredores e descobriram uma lagoa de água doce, toda cercada de palmeiras. Sentado à margem dela, Manuel José ficou longo tempo contemplando as águas. Eram tão transparentes que se podiam ver os peixes de todas as cores que corriam em disparada e pequenos crustáceos.

Cercado de verde por todos os lados, o garoto não pôde deixar de fazer uma comparação com Lisboa. Sim, a cidade era bela, com seus palácios, igrejas e monumentos... Mas seria mais bela do que a terra onde se encontrava, com as árvores copadas, as palmeiras balançando a copa e refletindo-se nas águas que pareciam um espelho de tão límpidas?

Manuel José respirou fundo aquele perfume que era um misto de baunilha, de flores desabrochando. Lembrou-se então do cheiro de esgoto, de coisas podres, do lixo acumulado nas ruas da grande cidade, dos gritos atordoantes dos aguadeiros, dos vendedores de peixe frito, da arruaça dos bêbados e vagabundos.

Não, Lisboa não era mais bela. Esse pensamento levou-o a refletir sobre o seguinte: de que valiam riquezas, palácios, roupas caras, se as pessoas viviam em meio à confusão de uma cidade como aquela? Não era melhor estar ali à sombra das palmeiras, os olhos fechados, ouvindo o canto dos pássaros e o mar ao longe, batendo nas pedras?

Entrando mais fundo na cabecinha de Manuel, podemos dizer que ele também pensou que era bom viver num belo palácio, ter a sua liteira, um cavalo, os seus criados, usar vestes de seda e veludo e um grilhão de ouro no pescoço. Sem contar as mais deliciosas iguarias ao alcance da mão quando sentisse fome...

Ao imaginar uma vida de pompa e riqueza, Manuel José lembrou-se do tesouro, o único meio que poderia lhe propiciar um futuro próspero. Sentou-se, então, tomado por uma preocupação. E o mapa? Será que estava no mesmo local em que o tinha deixado escondido?

Manuel José levantou-se. Precisava dar uma olhada para ver se o saquinho com o mapa estava a salvo. E com este pensamento na cabeça, esqueceu-se da beleza das árvores e das águas, dos perfumes que vinham da mata. Agora, voltava a ficar obcecado pelo tesouro, que, naquele momento, parecia ser a única razão de sua vida.

E assim terminou o domingo de Páscoa. Quando Manuel José voltou de barco para a nau, já brilhavam no céu as primeiras estrelas. Remando com força junto aos marinheiros, ia com a cabeça envolta num tropel de pensamentos, e todos eles diziam respeito ao tesouro de Shesh Nag e ao tão sonhado palácio em Lisboa.

24. Poty e Ibacoby

Na segunda-feira, o capitão-mor ordenou que Afonso Ribeiro, um dos degredados[64] da frota, fosse, juntamente com Diogo Dias, ver se os nativos tinham moradias e como elas eram. Um pouco antes que saíssem, Pero Vaz de Caminha chamou Manuel José de lado e perguntou:

— Ó, meu pequeno, gostarias de ir com eles?

— Sim, eu gostaria — o garoto respondeu sem hesitar.

— Queria, então, que me fizesses um favor. Vai com Afonso Ribeiro e Diogo Dias e, voltando, conta-me tudo o que vires. Posso então contar contigo?

[64] **Na época, pessoas condenadas por delitos graves em Portugal eram enviadas às colônias para cumprir pena. Com Cabral vieram dois, um deles, Afonso Ribeiro.**

— Com certeza, Senhor — respondeu Manuel José, que tinha ficado bastante excitado com a ideia de ir à terra.

Devemos esclarecer que o pedido do escrivão tinha um grande motivo. O capitão-mor, que logo devia partir para as Índias, havia decidido que Gaspar de Lemos voltaria a Lisboa para comunicar a D. Manuel a descoberta. Devido a isso, havia incumbido Pero Vaz de Caminha de redigir um relatório sobre a nova terra para ser entregue a Sua Alteza. Acontecia que o escrivão tinha pouco tempo para a redação daquele documento. Então, teve a súbita ideia de pedir ao garoto que fosse até onde moravam os nativos, para depois lhe contar o que tinha visto. Mas por que havia confiado aquela missão a um simples garoto? Porque, conhecendo de sobra a esperteza e a inteligência do Manuel José, estava certo de que ele se incumbiria muito melhor daquela tarefa do que qualquer outro membro da tripulação.

Pero Vaz de Caminha fez-lhe uma última recomendação:

— Muito bem, meu pequeno, não te distraias, fique atento a tudo que vires e ouvires e guarda bem na memória para depois me relatares.

Ao chegarem à praia, desembarcaram e deram com um grupo de nativos. Diogo Dias, mal os viu, tapou o rosto com a touca e começou a gritar e a correr e dar saltos e piruetas, o que muito divertiu os nativos. Depois, fez gestos, ora apontando para a mata, ora fazendo desenhos de moradias na areia. Levou bastante tempo até que os nativos entendessem o que ele estava querendo dizer. Por fim, falaram alguma coisa naquela língua desconhecida e convidaram os portugueses a entrarem no arvoredo.

Avançando pela trilha, os nativos riam-se a mais não poder dos marinheiros. Isso porque tropeçavam nos troncos, praguejavam ao se cortarem nos espinhos, ao procurarem se proteger dos enxames de mutucas⁶⁵, dando tapas no ar em todas as direções.

Depois de uma longa caminhada, saíram numa clareira, onde havia uma povoação. Manuel José reparou que era composta de dez choupanas compridas, feitas de estacas de madeira e cobertas nas paredes e no teto com palha.

Convidados pelos nativos, entraram numa delas, formada de um só grande cômodo, sustentado por colunas, onde se amarravam redes. Havia lá dentro perto de quarenta pessoas, que fizeram muita festa com os visitantes. Ofereceram-lhes raízes de inhame, sementes, uma espécie de bolo feito de mandioca e cumbucas com uma bebida esbranquiçada. Manuel José provou do inhame, do bolo de mandioca e recusou a bebida. Pela cara de Diogo Dias e Afonso Ribeiro, pôde perceber que se tratava de um tipo de aguardente. Foi então que os nativos começaram a pedir por gestos que Diogo Dias desse outros daqueles saltos e piruetas que tanto os haviam divertido. O português não se recusou, sobretudo porque tinha agora uma numerosa plateia. E, com muita graça, iniciou seu espetáculo.

Manuel José aproveitou-se disso para sair da moradia e investigar os arredores. Reparou que todas as palhoças eram iguais, feitas de estacas

---

[65] Espécie de inseto, existente em nossas matas, que pica para sugar sangue das pessoas.

de madeira e palha, presas por embiras. Já quase no limite da povoação, viu dois nativos que o observavam com curiosidade. Aproximou-se deles e notou que eram um garoto e uma garota, ambos aproximadamente da sua idade. Traziam o corpo coberto daquela tintura preta e usavam apenas colares de contas e um fino cordão à altura do ventre. Não pareciam temê-lo e o fitavam com os olhos cheios de curiosidade.

Manuel José parou de andar e acenou para eles, os nativos o imitaram e sorriram. Ele notou que a indiazinha era bem graciosa. Tinha os cabelos lisos caindo sobre as espáduas, os brancos dentinhos todos iguais que se mostravam entre os lábios grossos e vermelhos. Ao chegar diante deles, Manuel José bateu no peito e disse:

— Manuel José.

O menino repetiu seu gesto, dizendo:

— Poty.

A menina, por sua vez, disse:

— Ibacoby.

Manuel José repetiu os nomes:

— Poty, Ibacoby.

O menino sorriu, apontou para a touca vermelha que Manuel José usava e disse alguma coisa. Pelos gestos, ele entendeu que Poty estava pedindo a touca. Manuel José tirou-a e ofereceu-a ao nativo. Ele ficou tão contente que logo a experimentou, mas de um jeito muito engraçado, quase chegando a cobrir os olhos com ela.

Ibacoby disse alguma coisa ao seu ouvido. Poty acenou com a cabeça concordando, tirou o colar de contas que trazia ao pescoço e entregou-o a Manuel José. Como o garoto ficasse com ele na mão, a menina aproximou-se, pegou o colar e, ficando na ponta dos pés, o pôs em seu pescoço. Deu alguns passos para trás e, sorrindo, exclamou:

— *Poranga!*⁶⁶

Depois, mostraram para Manuel José toda a aldeia. O garoto viu alguns animais que os nativos haviam domesticado. Belas araras e papagaios de plumagem colorida, um macaco muito engraçado que subiu em seu ombro e que veio comer sementes em sua mão, uma pequena capivara que, como um cachorrinho, os seguiu por toda a parte.

Manuel divertiu-se tanto na companhia de seus novos amigos que lamentou bastante quando Afonso Ribeiro e Diogo Dias o chamaram para voltar à nau.

— Um instantinho — disse, acenando para os marinheiros.

É que, naquele exato momento, Poty ensinava-lhe como atirar com um arco. Depois de lançar duas ou três flechas, sem acertar o alvo, provocando muitas risadas de Poty e Ibacoby, despediu-se deles e correu na direção de seus companheiros.

— Pensávamos que não vinhas mais — disse Diogo Dias.

— Estava a aprender como se atira com o arco — explicou Manuel José.

Diogo Dias observou com malícia:

— Estavas é a aprender como cortejar uma femeazinha, seu maroto...

Manuel José corou até a raiz dos cabelos.

— Juro, queria mesmo era aprender a atirar com o arco...

⁶⁶ **Em tupi, "Bonito".**

— Com o arco das pernas da gentiazinha, não é...?

Diogo Dias e Afonso Ribeiro caíram na gargalhada. Mas bem que o marinheiro tinha razão. De volta à praia, Manuel José não deixou de pensar um só instante em Ibacoby, em seus cabelos longos e lisos, em seu sorriso. E, sobretudo, no modo como, ficando na ponta dos pés, gentilmente lhe havia posto no pescoço o colar de contas.

25. Um pedido especial

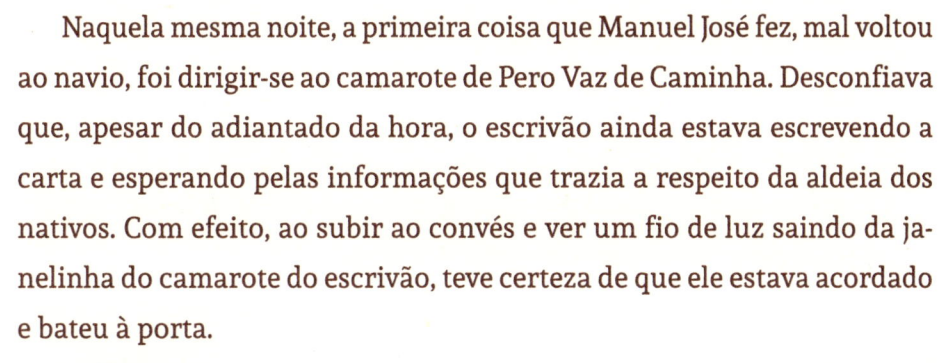

Naquela mesma noite, a primeira coisa que Manuel José fez, mal voltou ao navio, foi dirigir-se ao camarote de Pero Vaz de Caminha. Desconfiava que, apesar do adiantado da hora, o escrivão ainda estava escrevendo a carta e esperando pelas informações que trazia a respeito da aldeia dos nativos. Com efeito, ao subir ao convés e ver um fio de luz saindo da janelinha do camarote do escrivão, teve certeza de que ele estava acordado e bateu à porta.

— Entra.

Pero Vaz de Caminha estava tão atarefado que nem levantou a cabeça para olhar o visitante.

— Senhor Caminha...

— Ah, meu pequeno, és tu... — disse, reconhecendo a voz. — Como é, fizeste o que te pedi?

— Sim, Senhor. Fui até a povoação dos gentios.

Pero Vaz de Caminha releu o que havia escrito, jogou um pouco de areia sobre a tinta úmida, levantou os olhos para Manuel José e disse:

— Então, senta e conta-me o que viste.

Ele obedeceu e, quase sem respirar, começou a contar em detalhes tudo o que tinha visto: a aldeia, as cabanas de palha, o feitio curioso do interior das moradias, o modo como os nativos dormiam.

— Tem-te, pequeno! O mundo não se fez num dia — interrompeu-o o escrivão, com um gesto, já que não conseguia anotar o que Manuel José lhe dizia de maneira tão atabalhoada.

— Perdão, Senhor, foi tanta cousa que vi...

— Então, vais começar novamente a me contar. Como são mesmo feitas as moradias dos gentios? De folhas de palmas ou de palha?

— De esteios de madeira e palha. E são chamadas de malocas.

— Então, não usam pedras?

— Não, nada há feito de pedras.

— E quantas moradias há?

— Contei perto de oito...

Caminha ergueu a cabeça do papel em que anotava e tornou a perguntar:

— Há alguma cerca em torno das moradias?

— Sim, há uma cerca de paus pontiagudos para se protegerem dos inimigos.

— E são grandes ou pequenas as moradias? Quantas pessoas há em cada uma?

— Grandes, tão grandes como esta nau capitânia. Habitam dentro delas umas cinquenta pessoas.

— E há templos?

— Não, não vi templo algum.

Pero Vaz de Caminha levantou a cabeça, tamborilou o dedo sobre a mesa e disse como que para si mesmo:

— Será que esta gente não tem religião...?

Voltou-se para Manuel José e perguntou:

— E como dormem? Em enxergas? Comem o quê?

Manuel José voltou a falar, explicando como os nativos dormiam e o que comiam. Falou também das inúmeras e diferentes árvores que tinha visto, das excelências dos frutos, da variedade de aves e animais. Lembrou-se ainda de Poty e de Ibacoby e pensou se valia a pena incluí-los em seu relatório.

— E o que mais, meu pequeno? — insistiu o escrivão.

— Ah, também travei conversação com eles — disse Manuel José com uma pontinha de orgulho.

Pero Vaz de Caminha fitou-o de modo divertido.

— Como travaste conversação com eles? Por acaso, sabes a língua dos nativos?

Manuel José deu de ombros.

— Saber não sei, mas conversamos por meio de gestos.

— E o que te disseram?

— Ensinaram-me a atirar com o arco e as flechas e deram-me este colar de contas — disse o garoto apontando para o próprio pescoço.

— Muito bem — disse o escrivão jogando areia sobre as últimas anotações —, já tenho bastante material para terminar a carta a El-Rei. Como se faz tarde, creio que é hora de dormir. Boa noite, meu pequeno!

Manuel José permaneceu sentado, sem fazer menção de se levantar, levando o escrivão a lhe perguntar:

— Mais alguma cousa?

— Sim, Senhor. Queria que me autorizásseis a voltar à terra amanhã.

— Voltar à terra para quê? — perguntou o escrivão, intrigado.

Manuel José hesitou um pouco antes de falar.

— Ah, creio que há muito ainda o que ver e registar, para depois contar ao Senhor.

— Se queres saber, estou quase a findar a carta. Pensava em aditar somente o que me contaste hoje. Contudo, se vires algo espantoso — e o escrivão deu uma boa risada —, como um homem sem cabeça, mulheres de cauda de peixe, ouvirei de bom grado o que me contares e acrescentarei à carta.

— Então, posso ir? — perguntou o garoto excitado, já pensando em voltar a se encontrar com Poty e Ibacoby.

— Sim, tens a minha autorização.

Manuel José saiu do camarote do escrivão, seguiu pelo convés e desceu as escadas até o porão superior onde dormia com o resto da tripulação. Teve então a ideia de descer mais uns degraus e verificar se o mapa do tesouro se encontrava onde o tinha deixado. Munindo-se de um toco de vela e locomovendo-se com cuidado para não despertar os marinheiros, atravessou o compartimento e desceu mais um lance de escada. Acendendo a vela, procurou o esconderijo no encontro das traves do porão. Sim, o saquinho com os mapas lá se encontrava. Depois de abri-lo para examinar o conteúdo, amarrou de novo a boca e o pôs de volta no lugar.

Ouviu então um ruído às suas costas. Assustado, olhou para trás e pareceu distinguir nas sombras do porão um vulto. Num primeiro instante, pensou em fugir dali o quanto antes, mas acabou controlando o medo. Munindo-se de coragem, levantou a vela e caminhou na direção de onde tinha vislumbrado o vulto. Não encontrou ninguém, o que o fez dar um suspiro de alívio, julgando que tudo não tinha passado de ilusão. Quanto ao ruído, atribuiu-o aos ratos. Soprou a vela e subiu a escada bocejando.

26. Vadiando

No dia seguinte, Manuel José foi para a terra. Como tinha dormido muito pouco, começou a se sentir mal. Contudo, mal a brisa marinha bateu em seu rosto e encheu-lhe os pulmões de ar fresco, passou a se sentir bem melhor. Ao lhe voltarem as forças, agarrou um dos remos e começou a remar com vigor, procurando acompanhar o ritmo dos marinheiros que se riam dele.

Quando afinal aportaram, o encarregado pela pequena missão disse:
— Cuida-te, Manuel. Vê se não te perdes.
— Não vos preocupeis, meu senhor. Sei cuidar de mim.
— Muito bem, nos encontraremos, no fim do dia, nesse mesmo ponto.

Manuel José despediu-se e internou-se na mata, onde logo encontrou a trilha que levava até a povoação indígena. Lá chegando, depois de penosa caminhada, em que foi picado por tudo quanto é mosquito, hesitou antes de entrar na aldeia.

Estava imerso em seus pensamentos quando um dos nativos, ao sair de uma cabana, avistou-o e gritou alguma coisa para dentro. Foi o sinal para que os outros acorressem, gesticulando e murmurando entre si e se dirigissem em grupo a seu encontro. Num primeiro momento, Manuel José temeu pela própria segurança, mas os nativos não lhe fizeram mal algum. Se não pareciam mostrar hospitalidade, também não o hostilizaram. Apenas o fitavam curiosos. Sorriu e lhes fez um aceno.

Mas nem mesmo isso fez com que os nativos se mostrassem mais cordiais. Formando como que uma barreira à sua frente, não pareciam muito dispostos a deixá-lo entrar na aldeia. Desanimado, Manuel José concluiu que o melhor a fazer era voltar à praia. Mas antes que começasse a andar, Poty e Ibacoby atravessaram a multidão e vieram até onde ele estava. Chegando diante de Manuel José, Poty pôs a mão espalmada em seu peito e disse, dirigindo-se aos outros:

— *Poty cotyassaba*[67].

A intervenção de Poty teve um efeito mágico. Os nativos deixaram-no em paz e, pouco a pouco, foram se dispersando. Manuel José não entendia o tupi, mas desconfiou que o menino tinha dito algo bom a seu favor, de maneira que o imitou:

— *Manuel José cotyassaba*.

Ibacoby riu muito de sua pronúncia e disse, por sua vez:

— *Ibacoby cotyassaba*.

[67] **Em tupi, "amigo de Poty".**

Poty, fazendo gestos e dizendo uma enfiada de coisas que o garoto não podia entender, apontou para uma das cabanas. E começou a andar. Vendo que Manuel José permanecia parado, puxou-o pela mão. O garoto deixou-se levar e entrou na cabana.

Ibacoby pegou um pote, de onde tirou uma substância negra, e começou a besuntar a cara de Manuel José. Depois, tirou sua camisa e fez o mesmo com seu peito. Quando ela chegou a sua cintura, Poty apontou para os calções que ele usava e disse alguma coisa. Manuel José entendeu que pedia que os tirasse. Cheio de vergonha, balançou a cabeça, respondendo que não. Poty não teve dúvidas: avançou a mão, agarrou-lhe os calções e puxou-os. Num primeiro momento, o garoto pensou em resistir. Mas não vendo malícia alguma no gesto de Poty, resignou-se a ficar nu.

Ibacoby continuou a besuntá-lo com a pomada, pintando de preto suas nádegas, as coxas e as pernas. Terminada a pintura, saíram da cabana. Munidos de arcos e flechas, deixaram a aldeia e internaram-se na mata.

Para sua surpresa, Manuel José reparou que os insetos não mais o incomodavam. Foi então que compreendeu a utilidade daquela pintura. Além do efeito decorativo, era um eficiente protetor contra a força do sol e a picada dos mosquitos.

Depois de muito andar chegaram às margens de um riacho, que corria por entre pedras e formava mais adiante uma lagoa. A água era tão transparente que se podiam ver os peixes multicoloridos e pequenas tartarugas. Poty disse-lhe alguma coisa, apontando para o rochedo à margem da lagoa. Em seguida, correu até ele, escalou-o e, pulando, mergulhou nas águas. Ibacoby imitou-o.

Manuel José subiu no rochedo, mergulhou na lagoa. Mal a água o envolveu, sentiu um agradável arrepio percorrer seu corpo. Ao emergir viu que estava frente a frente com Ibacoby. A menina encheu a boca com água, espirrou nele e nadou para longe, rindo sem parar. Manuel José seguiu-a e, alcançando-a, também encheu a boca de água e espirrou nela. E, tornando a pular do rochedo, sempre dando risadas e jogando água para os lados, repetiram a brincadeira várias vezes. Quando se cansaram daquilo, deitaram-se na areia, secando-se ao sol.

Poty levantou-se e, apanhando arco e flecha, chamou Manuel José. Procurando não fazer ruído, voltaram a entrar na lagoa. Poty apontou para os peixes, retesou o arco, mirou por alguns segundos e atirou. A água tingiu-se de sangue, e o menino mergulhou, para voltar exibindo um peixe na ponta da seta.

Encantado com a perícia de Poty, Manuel José dispôs-se a imitá-lo. O máximo que conseguiu foi espantar o cardume, provocando a risada dos amigos. Desanimado, ia sair da água, quando Ibacoby o puxou pelo braço. Muito paciente, ensinou-lhe a maneira correta de segurar o arco e mirar. E, desta vez, sob a orientação de uma mestra tão prestativa, teve êxito, porque viu sua flecha acertar em cheio um peixe. Mergulhando, apanhou-o, voltou à tona e gritou entusiasmado:

— Peguei-o! Peguei-o!

Poty e Ibacoby, compartilhando da alegria do amigo, davam risadas, batiam palmas e gritavam, mesmo que não soubessem o que estavam falando:

— Peguei-o! Peguei-o!

Tornaram a deitar de costas na faixa de areia. Ibacoby, que tinha entrado na mata, voltou com os braços cheios de frutas, entre elas, umas de um vermelho bem vivo. Como Manuel José hesitasse em comê-las, ela disse, sorrindo:

— *Py'tãg. Ecatu*[68].

Saciada a fome, voltaram a descansar, o braço sob a cabeça, contemplando as nesgas de céu azul por entre a copa das árvores, ouvindo o ruído das águas do riacho, o canto dos pássaros. Deitado ao lado os amigos que ressonavam, Manuel José sentia-se feliz como nunca havia se sentido antes. Ah! Se a vida fosse sempre assim...

Dominado por esta sensação prazerosa, acabou adormecendo, mas foi despertado por uma incômoda coceira no nariz. Abriu os olhos e ergueu a cabeça. Deparou-se com Ibacoby, que lhe fazia cócegas com uma haste de capim. Manuel José levantou-se e ela correu, atraindo-o até as águas. Voltaram a mergulhar, a espirrar água um no outro.

Quando decidiram que era hora de retornar, Poty apanhou os peixes que haviam pescado e enfiou-os pelas guelras num galho de árvore. Chegando na aldeia, sentaram-se à entrada de uma das cabanas. Ibacoby cavou um buraco, encheu-o com galhos secos e fez fogo, esfregando dois pedaços de pau. Sempre abanando a fogueira com uma folha, esperou que se formasse um braseiro, sobre o qual pôs os peixes, enrolados em folhas de bananeira.

Mas o dia ia acabando, e Manuel José chegou à conclusão de que era melhor voltar à praia. Vestiu os calções, a camisa e, por meio de sinais, deu

[68] Em tupi, "Pitanga. Gostoso". A palavra *"Py'tãg"* significa "vermelho", a cor da fruta.

a entender aos amigos que precisava ir. Ibacoby pegou-o pela mão, puxou-o, como se quisesse impedi-lo de partir. Mesmo sabendo que eles não podiam entendê-lo, Manuel José disse:

— Tenho que ir. Mas prometo que amanhã estarei de volta.

Ibacoby, como se o compreendesse, sorriu e largou sua mão. Seguido pelos amigos, Manuel José atravessou a aldeia e internou-se na mata. Poty e Ibacoby só deixaram de segui-lo quando ele finalmente chegou à praia, onde os marinheiros carregavam o barco com lenha e água. Manuel José olhou para trás, fez um aceno e correu em direção ao bote. Vendo-o chegar ainda coberto daquela tintura, os marinheiros caíram na gargalhada. Diogo Dias, que era mesmo muito espirituoso, perguntou-lhe:

— O que aconteceu contigo, ó Manuel? Mergulhaste de cabeça num tonel de betume[69]?

---

[69] Substância negra, oriunda do petróleo e que na época servia para calafetar as embarcações.

27. A Carta de Caminha

Na quarta-feira, para sua tristeza, Manuel José não pôde ir à terra. É que o capitão-mor havia ordenado que os homens permanecessem a bordo para promover uma faxina geral no navio. Com uma escova, um pedaço de sabão, um balde de água à mão, ele passou quase o dia inteiro esfregando as tábuas do convés. O sol inclemente, que lhe batia em cheio na cabeça, fazia com que sentisse saudades da lagoa, onde, no dia anterior, havia mergulhado e pescado com os amigos. E ele que tinha prometido voltar!

De vez em quando, Manuel José erguia a cabeça e olhava para a terra, onde verdejavam as palmeiras. Num determinado momento, chegou mesmo a distinguir dois pequenos vultos correndo pela areia. Com certeza, eram Poty e Ibacoby. E ele preso àquela tarefa estafante da qual não podia se livrar! Mas no dia seguinte, custasse o que custasse, iria ter com eles, nem que tivesse que fugir da nau, refletiu com determinação.

O que atenuou um pouco o pesar de Manuel José por não ter podido ir ao encontro dos amigos foi a conversa à noite com Pero Vaz de Caminha. O escrivão o havia chamado para registrar as últimas informações da nova terra. O garoto descreveu as diversas frutas que havia experimentado, falou da *pytang*, que lhe havia parecido muito saborosa, da maneira original como os nativos pescavam os peixes e os coziam.

— Queres então dizer que não usam varas nem redes?

— Não, senhor. Fisgam os peixes com as setas.

— E cozem-nos em folhas de bananeira?

— Sim, senhor.

— E não têm eles panelas ou potes?

— Panelas não vi, mas têm muitos potes de barro.

Pero Vaz de Caminha ia anotando tudo. Quando Manuel José se calou, ele perguntou:

— É só o que me tens a dizer?

Manuel José puxou pela memória e disse:

— Ah, sabeis por que pintam o corpo de negro, senhor?

— Julgo que por ornamento.

Com uma pontinha de orgulho por sua sabedoria recém-adquirida, Manuel José explicou:

— Não só por ornamento, senhor. Essa tintura serve também de proteção contra as mutucas...

— Mutucas?!

— São como aqui chamam os mosquitos.

— Ah, bom. Muito interessante — disse o escrivão anotando.

Em seguida, ele perguntou:

— E o que mais?

— Creio que já vos disse tudo o que seria de interesse, senhor.

— Muito bem, meu pequeno. Sou-lhe grato pela ajuda.

— Senhor Caminha, queria pedir-vos... — Manuel José começou a dizer. Mas o escrivão o interrompeu, perguntando-lhe:

— Gostarias de ouvir o que escrevi a El-Rei?

O garoto, deixando de lado o que tinha a pedir, arregalou os olhos, como se não acreditasse no que estava ouvindo. Pois então o D. Pero Vaz de Caminha pretendia mesmo ler para ele a carta que enviaria a Sua Alteza?!

Pero Vaz de Caminha refletiu um pouco e depois disse:

— Como é? — disse o escrivão, vendo o embaraço do garoto. — Não queres então saber o que redigi?

— Mas é claro, Senhor! Com muito gosto. Apenas pensava que não era merecedor de tal honra.

O escrivão, depois de encavalar sobre o nariz uma armação provida de grossas lentes e pigarrear, explicou:

— Ainda não a terminei, só porei o ponto-final no último dia em que cá ficarmos. Ouve, contudo, o que já redigi.

E começou a ler o documento:

Senhor

Posto que o capitão-mor desta vossa frota, e assim os outros capitães escrevam a Vossa Alteza a nova do achamento[70] desta vossa terra nova, que nesta navegação agora se achou, não deixarei também de dar minha conta disso a Vossa Alteza, o melhor que eu puder; ainda que — para o bem contar e falar —, o saiba fazer pior que todos.

Tome Vossa Alteza, porém, minha ignorância por boa vontade, e, creia que por certo, para alindar e nem afear não porei aqui mais do que aquilo que vi e me pareceu.

[70] A Carta de Pero Vaz de Caminha fala em "achamento" do Brasil e não em "descobrimento". Desse modo, sabe-se então que os portugueses premeditadamente vieram para o Brasil com a certeza de encontrarem terras.

Logo após a introdução do documento, Caminha leu o trecho que dizia respeito ao primeiro encontro entre os navegantes e os nativos. Manuel José refletiu o quanto a descrição era bem feita! Lembrava-se de ter achado bem estranho o fato de os nativos terem rejeitado os doces que faziam a alegria de qualquer marinheiro.

E Caminha continuou a ler a carta bem devagar e fazendo grandes pausas. O escrivão descreveu a aparência física dos nativos. Quando começou a falar das moças, em completa nudez, Manuel José não pode deixar de se lembrar de Ibacoby. E isto fez com que corasse até a raiz dos cabelos. Ainda bem que o escrivão tinha os olhos fixos no papel, o que fez com que não se desse conta de sua perturbação. E continuava ele a ler:

Muitos deles ou quase a maior parte dos que andavam ali traziam aqueles bicos de osso nos beiços. E alguns, que andavam sem eles, tinham os beiços furados e nos buracos uns espelhos de pau, que pareciam espelhos de borracha; outros traziam três daqueles bicos, a saber, um no meio e os dois nos cabos. Aí andavam outros, quartejados de cores, a saber, metade deles da sua própria cor, e metade de tintura preta, a modos de azulada; e outros quartejados de escaques[71]*. Ali andavam entre eles três ou quatro moças, bem moças e bem gentis, com cabelos muito pretos, compridos*

---

[71] Divididos em quadradinhos como num tabuleiro de xadrez.

pelas espáduas, e suas vergonhas tão altas, tão cerradinhas e tão limpas das cabeleiras que, de as muito bem olharmos, não tínhamos nenhuma vergonha.

Mais adiante, quando Caminha descrevia as moradias dos nativos, ele parou de ler e perguntou:

— Então, meu pequeno, aqui me ficou uma dúvida: por dentro, a moradia dos gentios não têm mesmo divisões?

— Não, meu senhor. Nas que entrei, notei que são formadas de um só e muito grande cômodo.

— E todos dormem nele...?

— Isso mesmo, em redes presas aos esteios que sustentam as moradias.

Caminha fez as correções que julgava necessárias e prosseguiu a leitura. E mais para o fim da carta do escrivão tratava dos animais de criação e dos alimentos do povo da nova terra. Terminava por dizer quão graciosa era a terra, graças a seus ares e águas puras:

Nela, até agora, não pudemos saber que haja ouro, nem prata, nem coisa alguma de metal ou ferro; nem lho vimos. Porém a terra em si é de muito bons ares, assim frios e temperados como os de Entre Douro e Minho, porque neste tempo de agora os achávamos como os de lá.

Águas são muitas; infindas. E em tal maneira é graciosa que, querendo-a aproveitar, dar-se-á nela tudo, por bem das águas que tem.

Porém o melhor fruto, que nela se pode fazer, me parece que será salvar esta gente. E esta deve ser a principal semente que Vossa Alteza em ela deve lançar.

E que aí não houvesse mais que ter aqui esta pousada para esta navegação de Calecute, bastaria. Quanto mais disposição para se nela cumprir e fazer o que Vossa Alteza tanto deseja, a saber, acrescentamento da nossa santa fé.

E nesta maneira, Senhor, dou aqui a Vossa Alteza do que nesta vossa terra vi. E, se algum pouco me alonguei, Ela me perdoe, que o desejo que tinha, de Vos tudo dizer, mo fez assim pôr pelo miúdo.

E pois que, Senhor, é certo que, assim neste cargo que levo, como em outra qualquer coisa que de vosso serviço for, Vossa Alteza há de ser de mim muito bem servida, a Ela peço que, por me fazer graça especial, mande vir da ilha de São Tomé a Jorge de Osório, meu genro — o que d'Ela receberei em muita mercê.

Beijo as mãos de Vossa Alteza.

Deste Porto Seguro, da Vossa Ilha de Vera Cruz, hoje, sexta-feira, primeiro dia de maio de 1500[72].

Pero Vaz de Caminha

Quando Pero Vaz de Caminha terminou a leitura, já ia alta a noite. Ele então perguntou:

— O que te pareceu?

— Muito bem. Excelente, Senhor Caminha! Parecia que eu estava a ver agora tudo o que vi na nova terra. Creio que Sua Alteza gostará bastante da carta.

Pero Vaz de Caminha voltou a mexer no manuscrito e fez as últimas emendas, riscando um adjetivo, trocando um termo por outro. Como visse que Manuel José permanecia sentado diante dele, disse-lhe:

— Então, toca a dormir que ainda tenho muito o que fazer.

— Senhor Caminha, queria pedir-vos um favor.

---

[72] Jaime Cortesão. *A Carta de Pero Vaz de Caminha*. Lisboa: Imprensa Nacional-Casa da Moeda 1994.

— Um favor? O que desejas?

— Queria que me désseis autorização para descer à terra amanhã.

— Descer à terra outra vez? E posso saber para quê?

Manuel José hesitou um pouco, mas acabou confessando:

— Queria despedir-me de uns amigos que lá fiz.

Pero Vaz de Caminha fitou Manuel José de um modo divertido.

— Então fizeste amigos por lá, hein, seu maroto? Mas não sei se deveria permitir-te descer à terra. O despenseiro tem feito muitas queixas de ti. Diz que andas mandriando[73], que não o ajudas mais. Ainda hoje mesmo o contramestre, contrariado com isso, veio me perguntar se ainda estavas a meu serviço...

— Por favor, Senhor Caminha! Juro-vos por tudo quanto é sagrado que não estou a fazer nada de mal. Concedei-me a graça de ir pela última vez à terra!

Pero Vaz de Caminha reparou na ânsia com que Manuel José lhe dirigia a palavra. Considerando que ele lhe tinha sido de grande valia, ao trazer importantes informações para sua carta, disse:

— Muito bem. Se prometes que não irás fazer nada de mal, contarei uma pequena mentira ao contramestre.

De tão contente, Manuel José apanhou-lhe a mão e beijou-a várias vezes. Fingindo irritação, o escrivão disse:

— Tem-te, Manuel! Vai dormir, que já é tarde.

[73] **Vagabundeando.**

28. Em perigo

Cumprindo a promessa feita na noite anterior, o escrivão conversou com o contramestre. Disse que necessitava que o garoto lhe trouxesse mais informações sobre a vegetação e os animais da nova terra. Autorização concedida, Manuel José, feliz como nunca, embarcou com os homens que iriam providenciar provisões de água e pesca para a nau capitânia. Mas, ao descer da nau, uma coisa lhe causou grande perturbação. É que, no barco, deu de cara com Pedro Maciel. O homem, fitando-o de um jeito entre irônico e ameaçador, perguntou:

— O que vais fazer em terra?
— Vou a mando de D. Pero Vaz de Caminha.
— De D. Pero Vaz de Caminha? Então, estás mesmo muito importante!
— E tu? O que irás lá fazer? — perguntou Manuel José com irritação.
— Vou à caça.

Pedro Maciel deu uma gargalhada e afagou o cabo do punhal. Manuel José, incomodado, virou o rosto e ficou contemplando a terra que se tornava cada vez mais próxima, o que o deixou um pouco mais aliviado.

Contudo, a sensação de repugnância que sentia com a proximidade de Pedro Maciel não o abandonava. Por que o homem havia afagado o cabo do punhal, como se o estivesse ameaçando? Manuel José procurou rebater este pensamento, concluindo que talvez tudo não passasse de uma impressão passageira.

Já na praia, depois de ouvir as recomendações de sempre, despediu-se dos companheiros e começou a caminhar em direção da trilha na mata. Mas teve a nítida impressão de que Pedro Maciel o vigiava. Voltando a cabeça, confirmou esta sensação. Ao contrário dos marinheiros que discutiam entre si, organizando os grupos para a caça e pesca, o homem da venda preta estava de olho fixo nele.

Manuel José saiu correndo e entrou na mata. Começou a andar devagar, deliciando-se com o perfume das flores, com o frescor das folhas. Não demorou muito, as mutucas começaram a incomodá-lo, cobrindo sua pele de pequenas erupções vermelhas.

A meio do caminho, ouviu um ruído. Num primeiro momento, atribuiu-o a um animal. Mas, quando o ruído se tornou mais forte, reconheceu que era de um ser humano.

— Poty! — gritou, com a esperança de que fosse seu amigo.

Mas, em vez de Poty, deparou com o homem da venda preta que saía detrás de um grosso tronco de árvore.

— Pedro Maciel! — exclamou Manuel José assustado.

— O que foi? Parece que estás a ver um fantasma — disse Pedro Maciel, rindo com malícia.

— Não esperava ver-te por aqui.

— Com certeza, não o esperavas mesmo!

Como o homem dissesse aquilo de um modo irônico, fitando-o com uma expressão maldosa, Manuel José teve um terrível pressentimento. E se...? Não pôde concluir seu pensamento, porque o homem disse:

— Queres saber por que te segui até aqui?

Manuel José ficou em silêncio, e Pedro Maciel voltou a falar:

— É que temos contas a acertar.

— Que contas?

— Não te faças de desentendido! Sabes a que me refiro.

— Desculpe-me, mas não sei do que se trata — teimou Manuel José.

Pedro Maciel avançou dois passos e deu uma bofetada no garoto. Tropeçando numa raiz, ele caiu de costas no chão.

— Então, pensavas que irias me fazer de tolo para sempre? — disse Pedro Maciel, sacando o punhal.

Manuel José empalideceu e começou a tremer.

— Pois vou acabar com esta história de uma vez!

Tolhido pelo medo, Manuel José procurou se utilizar de seu grande trunfo:

— Se me matares, ficarás sem o mapa.

— O mapa? Grande parvo! Não sabes que me levaste até onde ele estava? Tenho-o cá comigo e agora não preciso mais de ti.

Manuel José recordou-se da noite em que tinha ido até onde havia escondido o saquinho. Então, o vulto que tinha visto era mesmo do homem da venda preta!

Pedro Maciel abaixou-se, apanhou Manuel José pela gola da blusa com a mão esquerda e puxou-o a seu encontro.

— Por piedade, poupa-me a vida — implorou Manuel José, já começando a chorar.

— Poupar-te a vida? Por que deveria poupá-la?

— Já tens o mapa, e o tesoiro é todo teu. Por que esta insistência em matar-me?

— Em primeiro lugar, porque teu pai tinha uma dívida comigo e não me pagou. Em segundo lugar, ninguém me faz de tolo, como tu me fizeste. Portanto, encomenda tua alma a Deus, que nada há mais a fazer.

Pedro Maciel ergueu o punhal. Mas antes que ferisse Manuel José, deu um berro, arregalou os olhos e ficou por algum tempo estático. Quando um filete de sangue saiu por entre seus lábios, largou Manuel José e caiu de joelhos, para depois se estatelar de cara no chão.

Manuel José, ainda paralisado pelo terror, reparou que ele tinha uma flecha cravada nas costas. Levantando o rosto, deparou com Poty e Ibacoby. O jovem índio continuava de arco em punho, pronto para o que desse e viesse.

— Poty! — exclamou.

O índio aproximou-se e, chutando o corpo de Pedro Maciel, disse com desprezo:

— *Aba anguipaba*[74].

Manuel José sentou-se num tronco de árvore, enquanto seu coração batia descompassado no peito. Como que entendendo a enorme aflição por que o amigo havia passado, Poty e Ibacoby permaneceram em silêncio a seu lado, esperando que ele se recuperasse.

Quando se sentiu melhor, Manuel José ergueu-se. A primeira coisa que fez foi pegar o mapa do

[74] **Em tupi:** "homem desprezível".

tesouro que estava dependurado num saquinho no pescoço de Pedro Maciel. Sob o olhar curioso dos amigos, arrastou com muito esforço o cadáver, jogou-o numa funda depressão do terreno e cobriu-o com areia, galhos e folhas. Manuel José tomava esta providência porque sabia que os marinheiros logo iam dar pela ausência do homem da venda preta. Se saíssem à sua procura e descobrissem como ele havia sido morto, na certa procurariam vingá-lo.

Voltando para junto dos amigos, disse, cheio de reconhecimento:

— Que Nosso Senhor Jesus Cristo vos abençoe com Sua Graça.

Como se entendesse a bênção que Manuel José lhe concedia, Poty sorriu e, pondo a mão em seu peito na altura do coração, disse:

— *Poty yqueyra*[75].

---

[75] **Em tupi: "Irmão de Poty".**

29. Rebates de consciência

Manuel José voltou a nadar com seus amigos, contudo, não chegou a se divertir como no dia anterior. Isso porque foi difícil disfarçar a angústia que sentia. Não era fácil para ele esquecer que havia presenciado a morte de Pedro Maciel. A todo momento, vinha-lhe à mente o rosto agoniado de seu inimigo, morto pela certeira flechada de Poty. O homem da venda preta era um patife, e o índio não havia feito mais do que justiça, mas era insuportável ao garoto conviver com a morte de quem quer que fosse. Já não chegavam as mortes do pai e de Lourenço? E tudo por causa da cobiça, de um punhado de ouro e pedras preciosas!

A maldição de Shesh Nag — pensava ele supersticiosamente — parecia estar se cumprindo. Os braços da deusa vinham alcançando os que haviam cometido e os que ainda pensavam em cometer o sacrilégio. Primeiro, tinha sido Duarte de Leiria, depois, seu querido pai, seguido de Lourenço, Simão Bocanegra e, agora, Pedro Maciel. Quem seria o próximo? Manuel José empalideceu só de pensar nisso. Concluiu que com certeza ele é que seria o próximo, se continuasse com a ideia fixa de ir atrás do tesouro.

Quando retornou à praia, a primeira coisa que lhe perguntaram foi se não tinha visto Pedro Maciel. Diante de sua negativa, Diogo Dias disse:

— Não sabemos onde aquele tratante foi se meter. Ficou de ir à caça conosco, mas não deu as caras até agora.

Como o sol já tombasse, os marinheiros começaram a mostrar impaciência. Diogo Dias achou por bem organizar uma pequena expedição para sair à procura de Pedro Maciel antes que escurecesse. Enquanto esperava o retorno dos homens, Manuel José, sentado sobre uma pedra, viveu momentos de muita aflição. E se descobrissem o corpo? Será que não tentariam se vingar da morte do companheiro, atacando os nativos? E tudo por culpa dele! Contudo, quando os homens voltaram dizendo que não haviam encontrado nem vestígios de Pedro Maciel, Manuel José sentiu que tirava um grande peso de seu coração.

— Vai ver que uma besta, dessas selvagens que deve haver por aí, o comeu... — disse Diogo Dias, balançando a cabeça. — Tomara que tenha uma indigestão. Que aquele não era mesmo uma boa bisca...

Manuel José chegou à nau capitânia com uma terrível dor de cabeça. Pôs um pano molhado na testa e deitou-se em seu canto. Como era de se esperar, custou a dormir, virando-se de um lado para o outro.

Incomodado com o calor, subiu ao tombadilho, onde a brisa que soprava da terra fez com que sua dor de cabeça passasse de vez. Enchendo de ar os pulmões, deixou-se estar ali e viu o céu ir tomar uma coloração pálida, para, depois, como se fosse uma grande placa de bronze, ficar vermelho. Os fura-buxos apareciam em bandos. As aves gritavam e mergulhavam nas águas, àquela hora, tão calmas que pareciam um espelho colorido pela intensa coloração do céu.

Diante daquele espetáculo de tanta beleza, Manuel José pouco a pouco viu diminuir sua angústia. Mal o sol despontou, voltou a se sentir bem disposto, ainda que, no fundo de si, uma grande dúvida o atormentasse.

30. Entre a cruz e a fogueira

Era primeiro de maio, véspera da partida da frota de D. Pedro Álvares Cabral a caminho das Índias. Antes de partir, o capitão-mor decidiu deixar um marco, assinalando a tomada de posse da nova terra por Portugal. Para tanto, ordenou que os homens derrubassem uma árvore e, com a madeira, construíssem uma cruz em que seriam afixados o brasão e as armas de D. Manuel. Quando ela ficou pronta, a tripulação de todas as naus formou uma procissão. Seguiam à frente, orando e cantando, os freis que conduziam os estandartes da Ordem de Cristo. Erguida a cruz, com o auxílio dos nativos, D. Henrique rezou a segunda missa na nova terra.

Após o sermão, em que D. Henrique lembrou aos homens a importância daquele feito, realizou-se a comunhão. Como os nativos imitassem os gestos dos portugueses, ajoelhando-se, levantando-se, erguendo os braços aos céus, os freis distribuíram entre eles pequenos crucifixos de estanho. Explicaram que deviam beijar a pequena cruz, para depois dependurá-la no pescoço com uma fita vermelha.

Terminada a missa, D. Pedro Álvares Cabral ordenou que se distribuíssem canecões de vinho entre a tripulação. Como haviam abatido porcos do mato e um cervo, carnearam os animais e assaram-nos em improvisados espetos na praia. Acabando de comer, os homens ainda se divertiram tocando gaita e dançando, sempre tendo em frente o impagável Diogo Dias, com seus saltos e piruetas. Como não podia deixar de ser, os nativos os acompanhavam, batendo palmas.

Manuel José sentia uma tristeza indefinida. Era que, no dia seguinte, a frota deixaria a "Terra de Santa Cruz", como passou a ser chamada a nova terra, e seguiria caminho para as Índias. E ele o que faria? — pensava, levando a mão ao saquinho no pescoço. Deveria ir atrás do tesouro? Afinal, tanto o pai quanto o amigo Lourenço haviam morrido por aquele mapa. Mas, ao voltar os olhos para os nativos que ainda se divertiam com as brincadeiras de Diogo Dias, uma saudade antecipada atormentava seu coração.

O que o agoniava era lembrar que Poty e Ibacoby o haviam acolhido como irmão, e ele estava a ponto de deixá-los para sempre... Estava tão atormentado que nem mesmo se despediu dos amigos quando retornou à nau. Ficou longo tempo junto à amurada, olhando tristemente para as águas que se tingiam com o vermelho do crepúsculo. Estava tão imerso em seu pensamento que levou um enorme susto quando alguém lhe pôs a mão no ombro.

— O que estás aí a fazer meu pequeno?

Voltou-se e deparou-se com Pero Vaz de Caminha.

— Estava a olhar para a terra — respondeu com uma entonação melancólica.

O escrivão ficou em silêncio a seu lado, para depois dizer:

— Então, partimos amanhã.

Como Manuel José nada disse, Pero Vaz de Caminha perguntou:

— O que tens? Não estás contente de partir para as Índias?

Manuel José olhou para o escrivão e sentiu uma vontade imensa de revelar o que se passava dentro dele. Mas, para isso, precisava lhe contar toda a verdade. Depois de alguma hesitação, disse a medo:

— Senhor Caminha...

— Pois não?

— Se vós tivésseis de escolher entre duas cousas, o que faríeis?

Pero Vaz de Caminha começou a rir.

— Olha que me pões numa situação muito difícil. Pois tudo depende das cousas de que falas. Se, por exemplo, estivesse entre a cruz e a fogueira, não haveria muito que escolher.

— Pois se o senhor quer saber estou entre a cruz e a fogueira.

— Ah! Vai, meu pequeno, não me venhas com esta! Uma criança como tu.

— Pois estou, senhor... — disse Manuel José com angústia na voz.

— Então, tens que me contar o que te atormenta para ver no que te posso auxiliar.

Manuel José ficou em silêncio, ainda em dúvida se devia ou não revelar tudo ao escrivão. Mas, tomando coragem, seguiu em frente:

— Para começar, queria dizer que, uns tempos atrás, menti ao senhor e vos peço perdão por isso.

— Como me mentiste?

Percebendo que, para receber qualquer auxílio, precisava ser franco, Manuel José contou toda a sua história, sem omitir um só detalhe. Como o pai havia partido para as Índias, como havia descoberto o tesouro, como havia começado a ser perseguido por aqueles vilões, como havia sido assassinado. Pero Vaz de Caminha arregalava os olhos com tudo aquilo que ouvia.

Quando o garoto chegou ao ponto da morte de Pedro Maciel, o escrivão exclamou, admirado:

— Pois essa é boa! Foram então os da terra a darem cabo dele?
— Sim, não fosse Poty, Pedro Maciel teria me apunhalado.
— Poty?
— Sim, chama-se Poty quem me ajudou. E é jovem como eu.
Pero Vaz de Caminha balançou a cabeça e resmungou:
— Não era mesmo boa bisca o patife!
Ele ficou pensativo por uns segundos e depois disse:
— Então, embarcaste para fugir deles...
— Sim, meu Senhor. Menti quando vos disse que me perseguiam só por causa de uma dívida de jogo de meu pai.
— E por que não me contaste antes toda a verdade? — perguntou Pero Vaz de Caminha com um pouco de ressentimento.
Manuel José não respondeu e abaixou a cabeça, envergonhado. O escrivão considerou então os momentos terríveis que o garoto tinha passado e disse:
— Tens o meu perdão, ainda mais porque não o fizeste por mal. Como podias confiar assim em minha pessoa, ainda mais se tratando de algo que teu pai te confiara como um segredo?
Pero Vaz de Caminha calou-se, pensou por um instante e perguntou:
— Mas, se Pedro Maciel não está mais em teu encalço, o que ainda te atormenta?
— Não sei agora se quero ir atrás do tesoiro...
— Não queres ir mesmo sabendo que farás fortuna?
Como Manuel José permanecesse em silêncio, o escrivão voltou a talar:
— Queres a opinião sincera de um homem experimentado nas cousas do mundo e dos homens?
Manuel José acenou com a cabeça.
— Pois te digo que a cobiça é um mal, que todo bem que advier da ganância, da morte de outrem e não do trabalho honesto, trará consigo a desgraça. Haja vista as mortes...

— A maldição de Shesh Nag! — interrompeu-o Manuel José.

— Não creio nisto. Maldições não as há, pois maiores são os poderes de Nosso Senhor Jesus Cristo. O que há é que cobiça atrai cobiça, e não viemos cá à Terra para cobiçar, ainda mais em se tratando do bem alheio.

— Mas o tesoiro é de pagãos, de gente que adora ídolos! — protestou Manuel José.

— E como isto justificasse que fosses lá promover uma rapina!

E após refletir mais um pouco, disse com severidade:

— O que acharias se os gentios fossem a Lisboa e roubassem as custódias de oiro do altar de Nossa Senhora da Ajuda? São pagãos, sim, mas a riqueza que lá está é consagrada aos deuses deles. Horrendas ou não, ainda são divindades. E tu ainda pensas em comprar a felicidade, dilapidando um templo?!

Envergonhado a mais não poder, Manuel José ficou calado. Pero Vaz de Caminha bateu com afeto em sua cabeça e disse:

— Mas sei que teu coração abriga o bem. Nesse tempo todo que convivi contigo, pude avaliar que tiveste excelente formação e que, por isso mesmo, és de boa índole. Em sendo assim, creio que já tens dentro de ti a resposta a tua dúvida.

Pero Vaz de Caminha pegou o queixo de Manuel José, ergueu sua cabeça e fitou-o por alguns segundos, para enfim dizer:

— Vejo no fundo dos olhos teus que já escolheste. Agora vai dormir que se faz tarde.

31. A partida

Era sábado, e a frota preparava-se para dar continuidade à missão sonhada por El-Rei D. Manuel. Grande era a movimentação a bordo das naus, e os marinheiros estavam bastante excitados. Contudo, um acontecimento veio perturbar a alegria geral com a partida. Era que, cumprindo as determinações da Coroa, Afonso Ribeiro e mais outro degredado seriam deixados em terra. Deveriam, pois, não só cumprir a pena, como também promover contatos mais estreitos com os nativos e fazer um completo relatório da flora e da fauna.

Manuel José viu então o barco com os degredados distanciar-se da nau. O coração cheio de angústia, ele andava de um lado para o outro, não conseguindo concentrar-se em tarefa alguma. Até que, irritado com sua desatenção, o contramestre deu-lhe um tapa na cabeça e gritou:

— Anda a trabalhar maroto! Eu que te pegue mandriando outra vez que te dou uma surra!

Manuel José entregou-se com afinco ao trabalho para sufocar a ânsia que ia dentro dele. Tudo estava pronto para a partida. Ordens eram gritadas, as velas desdobradas, e os cabos da âncora começavam a ser puxados. À proa da nau estava Pedro Álvares Cabral. O mestre e o contramestre volta e meia o consultavam, para depois fazer soar os apitos. A nau começou a mover-se, a proa apontando para sudeste.

Manuel José correu para a popa. Viu a orla dourada da praia, onde se aglomerava uma pequena multidão de nativos, entre os quais, jurava distinguir Poty e Ibacoby. Levou a mão ao pescoço, onde se encontrava dependurado o saquinho com o mapa do tesouro. Num gesto decidido, arrebentou o cordão e ficou algum tempo olhando o saquitel, razão de tantos males e tantas desgraças. Sem mais hesitar, o arremessou ao mar. E sem pensar muito no que fazia, escalou a amurada da nau e começou a descer cautelosamente, porque as ondas batiam no casco, dificultando a tarefa. Quando achou que estava a uma altura prudente, deixou-se cair no mar.

O garoto afundou em meio às ondas. Bateu os braços e logo veio à tona. Por sorte, os homens a bordo estavam tão atarefados que nem se deram conta de sua fuga. Desse modo, ele pôde tomar a direção da terra. Como o mar estivesse calmo naquele dia, não lhe foi difícil seguir adiante, ritmando as braçadas. Dentro em pouco, seus pés tocavam a areia. Estava exausto do esforço. Mas, ao ver junto à orla Poty e Ibacoby, que saltavam e gritavam de alegria, sentiu que seu coração se inundava de felicidade.

Era que, depois de um tempo de muito sofrimento, em que havia perdido os que mais amava, vinha, afinal, encontrar amigos queridos, longe do ódio, longe da cobiça.

CRONO-LOGIA

1487
Bartolomeu Dias supera o Cabo das Tormentas, que mais tarde passaria a chamar-se Cabo da Boa Esperança.

1482
O navegador Diogo Cão chega ao estuário do rio Congo em 1482.

1480

1460
Diogo Gomes e António de Nola descobrem o desabitado arquipélago de Cabo Verde.

1460

1415
A conquista de Ceuta, na África, em 1415, marca o início da expansão marítima portuguesa.

1430

1434
O navegador Gil Eanes ultrapassa o Cabo Bojador, que até então era o ponto mais meridional conhecido na costa de África.

1410

1500

Pedro Álvares Cabral chega ao Brasil. O escrivão Pero Vaz de Caminha faz uma descrição do local, que é chamado de "Terra de Vera Cruz".

1490

1492

Em 12 de outubro, Cristóvão Colombo descobre a América.

1494

Assinado o Tratado de Tordesilhas, em 7 de junho, pelo rei de Portugal e o do recém-formado Reino da Espanha, para dividir as terras "descobertas e por descobrir" fora da Europa.

1498

A armada de Vasco da Gama chega a Moçambique, a caminho da Índia.

Referências Bibliográficas

ABREU, Capistrano de. *O Descobrimento do Brasil*. Rio de Janeiro: Civilização Brasileira/MEC, 1976.

ALBUQUERQUE, Luís de. Os *Descobrimentos Portugueses*. Lisboa: Alfa, 1985.

BUENO, Eduardo. *A Viagem do Descobrimento*. Rio de Janeiro: Objetiva, 1998.

CARDIM, Fernão. *Tratados da Terra e Gente do Brasil*. Rio de Janeiro: J. Leite e Cia., 1925.

CORTESAO, Jaime. A Carta *de Pero Vaz de Caminha*. Lisboa: Imprensa Nacional/Casa da Moeda, 1994.

COSTA, General Gomes da. *Descobrimentos* e *Conquistas*. Lisboa: Serviços Gráficos do Exército, s.d.

GARCIA, José Manuel (pref. org. notas). *As Viagens dos Descobrimentos*. Lisboa: Presença, 1983.

GUARACY, Thales. *A Conquista do Brasil*. São Paulo: Planeta, 2015.

HOLANDA, Sérgio Buarque de. *Visão do Paraíso*. São Paulo: Companhia das Letras, 2010.

RAMINELLI, Ronald. *Imagens da Colonização*: a representação do índio de Caminha a Vieira. Rio de Janeiro: Jorge Zahar, 1996.

SALVADOR, Frei Vicente de. *História do Brasil*. 4. ed. São Paulo: Melhoramentos, 1965.

SIMÕES, Henrique Campos. *As Cartas do Brasil*. Ilhéus: Editus, 1999.

PERES, Damião. *História dos Descobrimentos*. Porto: Vertente, 1992.

SOBRE O AUTOR

Álvaro Cardoso Gomes

Nasci em 28 de março de 1944, em Batatais, interior do estado de São Paulo. Quando tinha quatro anos, minha família mudou-se para Lucélia e, depois, para Americana. Foi mais ou menos nessa época, aos treze anos, que descobri que queria ser escritor. Lia de tudo que me passava pelas mãos e escrevia pequenas histórias. Aos dezenove anos, vim para São Paulo, onde pretendia estudar. Entrei na Universidade de São Paulo e me formei professor. Lecionei Literatura Portuguesa na USP, Literatura Brasileira em Berkeley, EUA. Em 1978, publiquei meu primeiro livro, *A Teia de Aranha*. Aí não parei mais: seguiram-se *O Sonho da Terra, Os Rios Inumeráveis, Concerto Amazônico*. Mas foi só em 1986 que publiquei meu primeiro livro para jovens, *A Hora do Amor*. Como houve boa recepção por parte dos leitores, escrevi mais livros juvenis: *A Grande Decisão, A Hora da Luta, Amor de Verão, Para Tão Longo Amor, O poeta que fingia* e *Memórias quase póstumas de Machado de Assis*, esses dois últimos contemplados com o Prêmio Jabuti. Além disso, também publiquei muitos livros acadêmicos para a Universidade. Como se pode ver, acabei realizando meu sonho de criança de um dia me tornar escritor. Para mim, nada há de mais fantástico que inventar mundos e pessoas para encantar os leitores.